LES EUNUQUES
NE SONT
JAMAIS CHAUVES

DU MÊME AUTEUR

Dans la même collection :

Ma langue au Chah.
Ça mange pas de pain.
N'en jetez plus !
Moi, vous me connaissez ?
Emballage cadeau.
Appelez-moi, chérie.
T'es beau, tu sais !
Ça ne s'invente pas.
J'ai essayé : on peut !
Un os dans la noce.
Les prédictions de Nostrabérus.
Mets ton doigt où j'ai mon doigt.
Si, signore.
Maman, les petits bateaux.
La vie privée de Walter Klozett.
Dis bonjour à la dame.
Certaines l'aiment chauve.
Concerto pour porte-jarretelles.
Sucette boulevard.
Remets ton slip, gondolier.
Chérie, passe-moi les microbes !
Une banane dans l'oreille.
Hue, dada !
Vol au-dessus d'un lit de cocu.
Si ma tante en avait.
Fais-moi des choses.
Viens avec ton cierge.
Mon culte sur la commode.
Tire-m'en deux, c'est pour offrir.
À prendre ou à lécher.
Baise-ball à La Baule.
Meurs pas, on a du monde.
Tarte à la crème story.
On liquide et on s'en va.
Champagne pour tout le monde !
Réglez-lui son compte !
La pute enchantée.
Bouge ton pied que je voie la mer.
L'année de la moule.
Du bois dont on fait les pipes.
Va donc m'attendre chez
   Plumeau.
Morpions Circus.
Remouille-moi la compresse.
Si maman me voyait.

Des gonzesses comme s'il en
   pleuvait.
Les deux oreilles et la queue.
Pleins feux sur le tutu.
Laissez poussez les asperges.
Poison d'Avril, ou la vie sexuelle
   de Lili Pute.
Bacchanale chez la mère Tatzi.
Dégustez, gourmandes !
Plein les moustaches.
Après vous s'il en reste, Monsieur
   le Président.
Chauds, les lapins !
Alice au pays des merguez.
Fais pas dans le porno...
La fête des paires.
Le casse de l'oncle Tom.
Bons baisers où tu sais.
Le trouillomètre à zéro.
Circulez y'a rien à voir.
Galantine de volaille pour dames
   frivoles.
Les morues se dessalent.
Ça baigne dans le béton.
Baisse la pression, tu me les
   gonfles !
Renifle, c'est de la vraie.
Le cri du morpion.
Papa, achète-moi une pute.
Ma cavale au Canada.
Valsez pouffiasses.
Tarte aux poils sur commande.
Cocottes-minute.
Princesse Patte-en-l'air.
Au bal des rombières.
Buffalo Bide.
Bosphore et fais reluire.
Les cochons sont lâchés.
Le hareng perd ses plumes.
Têtes et sacs de nœuds.
Le silence des homards.
Y en avait dans les pâtes.
Al Capote.
Faites chauffer la colle.
La matrone des sleepinges.
Foiridon à Morbac City.

Allez donc faire ça plus loin.
Aux frais de la princesse.
Sauce tomate sur canapé.
Mesdames vous aimez « ça ».
Maman, la dame fait rien qu'à me
faire des choses.
Les huîtres me font bâiller.
Turlute gratos les jours fériés.

Hors série :

L'Histoire de France.
Le standinge.
Béru et ces dames.
Les vacances de Bérurier.
Béru-Béru.
La sexualité.
Les Con.
Les mots en épingle de Françoise
Dard.
Si « Queue d'âne » m'était conté.

Les confessions de l'Ange noir.
Y a-t-il un Français dans la salle ?
Les clés du pouvoir sont dans la
boîte à gants.
Les aventures galantes de
Bérurier.
Faut-il tuer les petits garçons qui
ont les mains sur les hanches ?
La vieille qui marchait dans la
mer.
San-Antoniaiseries.
Le mari de Léon.
Les soupers du prince.
Dictionnaire San-Antonio.
Ces dames du Palais Rizzi

Œuvres complètes :

Vingt-trois tomes parus.

SAN-ANTONIO

LES EUNUQUES
NE SONT
JAMAIS CHAUVES

FLEUVE NOIR

© 1995 Éditions Fleuve Noir.
ISBN 2-265-05531-X
ISSN : 0768-1658

LES EUNUQUES NE SONT JAMAIS CHAUVES

C'EST CE QU'AFFIRME L'ÉCRIVAIN KELCHÂR HABIA DONT LE
PÈRE ET LE GRAND-PÈRE ÉTAIENT EUNUQUES À TEMPS COMPLET.

« Celui qui poursuit la volupté lui sacrifie tout et pour commencer sa liberté. Voilà le prix qu'il paie pour satisfaire son ventre. Il n'achète pas la volupté, il se vend à la volupté. »

Sénèque (1)

(1) *Quel con, ce mec ! Il a jamais baisé ou quoi ?*

Bérurier

Il n'est rien de plus triste qu'un footballeur qui se shoote.

San-A.

Bon et con, ça commence par la même lettre.

A.-B. Bérurier

Le gastronome se meurt.
Qu'il parte en pets.

San-A.

Les gens se divisent en deux catégories :
ceux qui sont ineptes
et ceux qui sont inaptes.

San-A.

A Albert BENLOULOU,
jamais perdu et cependant retrouvé.
Avec tendresse.

San-A.

PREMIÈRE PARTIE

L'AVIATEUR ROUMAIN

1

IL A UNE VOIX DE SOPRANO, PAULO.

Blint feuilletait une revue porno, à l'intérieur de la Rolls. Il l'avait trouvée dans les toilettes publiques de l'aéroport. Elle était destinée à un lectorat *gay* et la couverture représentait un superbe éphèbe blond, déculotté, mais qui portait un impressionnant blouson de cuir noir zébré de fermetures Eclair.

Le sujet se tenait à califourchon sur une puissante moto aux chromes rutilants. Il possédait un sexe magistral —, d'au moins trente centimètres, apprécia Blint — qui prenait ses aises sur la carène du bolide.

— Tu as vu cet objet ? demanda l'amateur de porno à son compagnon qui somnolait au volant.

Howard jeta un regard méprisant sur la photo.

— A quoi sert d'avoir un braquemart pareil, si c'est pour le foutre dans de la chose ! grommela-t-il en écartant le magazine.

Blint eut un petit rire gêné et glissa la publication licencieuse dans la boîte à gants.

— C'est ça ! fit le conducteur. Si tu l'oublies et que Monseigneur le trouve, ça fera un bon sujet de conversation.

Il tendit la main en faisant claquer ses doigts.

Docile, son acolyte reprit le magazine et le remit à Howard, lequel le coula hors de la Rolls dont il entrouvrit à peine la portière.

A cet instant, une sonnerie retentit. La circulation qui coupait la piste d'atterrissage de Gibraltar cessa rapidement et les deux bras du passage à niveau s'abaissèrent à plusieurs dizaines de mètres de distance.

De part et d'autre, les véhicules et les piétons commencèrent à s'agglutiner.

— Le voilà ! dit Blint, en sortant de la voiture.

Il regarda scintiller l'appareil blanc et bleu qui venait du nord. Il évoquait quelque soucoupe volante car le soleil l'embrasait et lui faisait perdre sa forme allongée. Il décrivit une courbe somptueuse au-dessus de la mer et descendit rapidement vers la piste qui s'étirait au pied du légendaire rocher.

L'air était doux et des senteurs végétales se mêlaient à celles du kérosène. Lorsque l'engin fut très bas, les gens contenus par les barrières purent l'admirer à leur aise. Il s'agissait d'un avion à réaction ultra-perfectionné, d'une capacité d'environ quinze passagers.

Il se posa avec grâce et légèreté. Une voiture de piste, du genre Jeep, portant à l'arrière un panneau enjoignant *Follow me* vint le prendre en charge et le guida vers une zone de hangars.

Très vite, la circulation un instant interrompue reprit ses droits.

Les deux hommes de la Rolls abandonnèrent leur carrosse, non sans avoir assuré le verrouillage général et se dirigèrent vers l'endroit où s'était rangé l'avion. Ses moteurs étaient coupés mais il continuait d'être agité de légères convulsions.

Bientôt, la porte s'ouvrit et un homme portant une combinaison parut. Il avait une silhouette encore jeune, était d'une taille légèrement au-dessus de la moyenne et la manière dont il descendit de son poste de pilotage prouvait ses bonnes relations avec les exercices physiques. Son casque de radio avait dérangé sa chevelure. Le sentant, il fit un geste de la main droite pour l'aplatir. De la gauche, il tenait une grosse mallette aux formes géométriques.

Il vit le tandem Blint-Howard arriver sur lui et, à distance, leur adressa un salut de sa main libre. Puis sans davantage s'occuper de son « comité d'accueil », il passa à l'arrière de l'appareil afin de récupérer son bagage dans la soute : un énorme sac de toile noire. Celui-ci semblait si pesant que le pilote devait cambrer les reins pour le soulever.

— On va vous le porter, dit Howard.

L'arrivant lui sourit.

— C'est gentil, merci. Vous ne serez pas trop de deux.

— Moi c'est Howard, fit celui-ci, et mon ami s'appelle Blint.

— Tiarko ! se présenta brièvement l'arrivant.

Ils ne se serrèrent pas la main mais échangèrent des hochements de tête assez distants.

A pas pesants, ils gagnèrent la Rolls. L'homme n'eut pas l'air impressionné par le riche véhicule. Il prit place derrière après s'être assuré qu'on avait chargé son gros sac dans le coffre.

— Bon vol ? questionna le conducteur en reprenant sa place au volant.

— Avec un temps pareil et pour une aussi courte distance ce serait malheureux.

La luxueuse voiture quitta l'aéroport et prit le chemin conduisant à la nationale 340. Il faisait doux dans l'habitacle et il y flottait un léger parfum oriental qui suffit à déclencher l'allergie dont souffrait Tiarko. Peu d'eaux de toilette le laissaient insensible.

Quand ils atteignirent la nationale, ils prirent à droite en direction de Malaga. Des voitures françaises, plutôt vétustes dans l'ensemble, aux galeries croulant sous des charges hétéroclites, emmenaient des familles d'émigrés marocains au pays, à l'occasion des vacances pascales.

Le trajet fut bref ; quinze kilomètres plus loin, la Rolls abandonna déjà la grand-route pour prendre celle de Sotogrande.

Le pilote avait glissé son avant-bras droit dans la sangle de velours réservée à cet usage. Son regard clair restait mat comme de l'étain.

Le paysage se modifiait rapidement. Aux localités populaires bordant la route, avait succédé une forêt dont on mesurait l'immensité au fur et à mesure que l'automobile s'élevait.

Les voyageurs parvinrent à un poste de garde vitré placé au milieu du chemin où deux hommes en uniforme surveillaient les allées et venues. En reconnaissant le véhicule, ils levèrent le bras rouge de la barrière qui interdisait l'accès de ce qui s'avéra être un golf aménagé dans la forêt.

La Rolls poursuivit sa route sans que le conducteur eût marqué le moindre intérêt aux hommes chargés de la sécurité. Huit cents mètres plus avant, se dressait un second poste où le même rituel s'opéra.

— On arrive ! annonça Howard, décidément davantage loquace que son acolyte.

Effectivement, la Rolls déboucha sur une esplanade terminée par une gigantesque grille sommée de piques acérées. Un contacteur électronique en commandait l'ouverture depuis l'auto. Les deux parties du monumental portail devaient peser plusieurs tonnes chacune. Elles s'écartèrent avec lenteur. Lorsque l'espacement fut suffisant, le chauffeur s'engagea dans une somptueuse allée au revêtement rose, bordée de palmiers. La route enchantée montait en pente douce. A gauche comme à droite, entre les fûts des arbres, se développait une prairie irréellement verte, aux savants mouvements de terrain.

Lorsque la grosse automobile atteignit le sommet de cette rampe, le palais apparut, immense, dans les tons ocre. Cette construction devait mesurer au moins quinze mille mètres de superficie. Malgré sa masse imposante, elle restait harmonieuse à cause de son style andalou, de ses décrochements souples, d'une certaine symétrie répétitive de sa façade qui aurait dû paraître interminable mais qui donnait une impression de grâce et d'équilibre.

Quelques voitures étaient rangées sur le terre-plein : une autre Rolls, plus récente, une Ferrari 456 GT, deux Range-Rover et un véhicule électrique pour green de golf, découvert et pourvu d'un caisson spécial réservé aux cannes.

Howard stoppa au bas du perron. Un domestique espagnol, en gilet rayé, dévala celui-ci et vint ouvrir la portière à Tiarko. Le pilote sortit sans se hâter du véhicule. Il se retourna pour se saisir de son « commandant case », mais le valet lui fit signe qu'il s'en chargeait.

Blint adressa un sourire ironique à l'arrivant.

— L'endroit vous convient ?

— Il faut voir, répondit celui-ci.

Ses cicérones l'encadrèrent pour gravir le perron aux marches basses qui ne devaient pas mesurer les dix-sept centimètres de hauteur traditionnels. Ils pénétrèrent dans un hall où prenaient plusieurs escaliers.

L'endroit avait quelque chose de théâtral, à cause probablement des douzes bras de lumière qui brandissaient des lanternes de verre. Des canapés pompeux, de style vaguement Louis XIV, offraient des haltes aux visiteurs. Tiarko songea que l'ensemble faisait un peu « Musée de l'Ermitage ». Il continua de suivre ses deux mentors foulant une succession de tapis aux dimensions stupéfiantes. Ce qui surprenait, incommodait, même, c'était le silence absolu régnant dans le palais.

Parvenus à l'extrémité ouest de la galerie, ses guides prirent un couloir sur la droite. Des portes en bois précieux se succédaient.

Blint stoppa devant la troisième et l'ouvrit.

— Chez vous ! fit-il à Tiarko d'un ton laconique.

La chambre qui se proposait devait dépasser les soixante-dix mètres carrés. Elle était tapissée de velours frappé dans les tons vieux bleu. Deux portes-fenêtres donnaient sur un vaste patio ceinturé de murs terre de Sienne. Une petite piscine privée, deux palmiers aux pieds desquels foisonnaient des couronnes de fleurettes roses, une fontaine en carreaux sévillans et quelques meubles de jardin au fer forgé romantique faisaient de ce coin privé un endroit de rêve.

Tiarko revint à la chambre, enregistra d'un regard sagace le vaste lit à baldaquin, la commode espagnole peinte, les fauteuils à oreilles garnis de tapisserie en point de Hongrie, les tableaux xvie siècle hollandais, l'énorme poste de télévision, le petit bureau Mazarin, et se dit que l'on avait réuni dans cette chambre des pièces rares mais qui ne se « correspondaient » pas fatalement. La porte de la salle de bains était ouverte et il fut charmé par l'univers de marbre blond et d'appareils vert Nil qu'il apercevait.

— Correct ? lui demanda Howard qui suivait son inspection du regard.

— Je me contente de peu, plaisanta Tiarko.

Le valet vint déposer les bagages au pied du lit. Il dit quelque chose en espagnol. Blint crut bon de traduire pour l'arrivant :

— Il demande s'il doit vous aider à ranger vos effets.

— Je ne suis pas une cocotte ! répondit Tiarko.

Howard intervint :

— On vous laisse à votre installation ; quelqu'un prendra contact avec vous plus tard. Je vous signale qu'il y a un réfrigérateur dans la penderie de la salle d'eau, avec les trucs essentiels.

— Merci du tuyau, il peut me servir.

Les trois hommes se retirèrent. Tiarko les escorta jusqu'à la porte dont il mit le verrou. Il se sentait l'esprit vide et retourna dans le patio. Le glouglou de la fontaine était un bruit bienfaisant qui, confusément, le charma. Il commença par prendre place dans un fauteuil aux lamelles d'acier élastiques. Au-dessus de lui se découpait un grand rectangle de ciel bleu. Tiarko estima qu'un petit nuage blanc aurait fait bien dans le tableau.

2

FAIS PAS LA GRIMACE, IGNACE.

Cela ressemblait un peu à du sommeil mais n'en était pas. Il s'était allongé nu sur le matelas pneumatique qui errait à la surface de la piscine au gré des souffles d'air. Ses jambes et ses avant-bras trempaient dans l'eau tiède. Une espèce de détente, voisine de l'assoupissement, l'avait gagné car le ciel, trop lumineux, l'obligeait à fermer les yeux. Ne dormant pas vraiment, il ne pouvait rêver, tout au plus faire la part belle à des fantasmes. Le soleil qui chauffait son corps le mettait dans un état d'excitation languissante.

Soudain, il eut la sensation d'une présence et souleva ses paupières.

A l'envers, il vit une femme debout au bord de l'eau. Il ressentit cette arrivée comme une violation et, d'instinct, plaça ses deux mains en conques sur son sexe.

Quand il eut quelque peu surmonté sa gêne, il se laissa basculer dans l'eau, confiant à celle-ci le soin de dissimuler sa complète nudité. Puis il fit front à la visiteuse : une femme brune, à la peau ambrée et aux lèvres écarlates, que drapait un sari de couleur safran.

— Je croyais avoir fermé ma porte à clé ! fit-il d'une voix sèche.

— Dans cette maison, les verrous sont illusoires, répliqua la visiteuse.

Elle parlait l'anglais d'une voix suave et accompagna sa réplique d'un sourire qui aurait « commotionné » plus d'un mâle. Mais Tiarko y fut insensible.

— Vous auriez pu frapper ! dit le pilote.

— Je l'ai fait, mais vous ne répondiez pas. Vous voulez bien passer un peignoir et me suivre à l'infirmerie ? Le docteur Ti-Pol va vous examiner.

— Je me porte bien ! bougonna l'invité.

— Ce n'est pas suffisant, assura-t-elle. Attendez, je vais chercher une sortie de bain dans votre salle d'eau.

Oubliant toute pudeur, Tiarko jaillit de la piscine et rentra dans son appartement en laissant une traînée humide derrière soi.

Il réapparut rapidement, serrant la ceinture d'une robe de chambre en tissu-éponge. Il avait l'impression de se trouver dans un établissement de cure.

Son réflexe fut d'aller vérifier le verrou de sa porte. Il ne mit pas longtemps à réaliser que la gâche fixée au mur coulissait, ce qui en libérait le pêne. Il regarda sa visiteuse.

— Astucieux, fit-il.

— Ici, il n'est pas d'intimité possible, révéla la

fille. Toutes les précautions chargées de la garantir sont fallacieuses ; ainsi l'a voulu Monseigneur.

Tiarko demeura impassible, ne fit aucun commentaire et ne réagit pas davantage au sourire sensuel de la femme au sari.

Elle l'entraîna dans le couloir et s'arrêta devant une porte qu'il prit pour celle d'une chambre mais qui, en réalité, ouvrait sur la cabine d'un ascenseur dont la cage était tapissée de peau ivoire agrémentée de filets dorés.

— Vous ai-je dit que je m'appelais Shéhérazade ? demanda-t-elle en pressant le bouton du bas.

— C'est un nom indiqué quand on habite le palais des Mille et Une Nuits, riposta l'arrivant.

La cabine sembla rester immobile, mais lorsque sa porte se rouvrit, il vit qu'ils étaient arrivés dans un vaste local uniquement éclairé à l'électricité. L'endroit était peint à l'huile de couleur beige. Des armoires métalliques, des appareils hospitaliers, deux fauteuils d'auscultation le meublaient. Quelque part, des baffles invisibles diffusaient une musique extrême-orientale douce et crispante.

Une porte s'écarta, un Asiatique menu parut, vêtu d'une blouse vert hôpital et coiffé d'une calotte trop large pour son crâne étroit. Il ne se perdit pas en préambules, salua seulement Tiarko d'un signe de tête et lui demanda à quand remontait son dernier repas.

— Au breakfast de ce matin, répondit ce dernier.

— Très bien. Posez votre peignoir et allongez-vous sur cette table.

Le pilote obéit. Il était là pour ça. S'y était engagé formellement et sans réserve.

Son accompagnatrice s'assit sur l'unique siège de l'endroit. Celui auquel elle accordait le titre de médecin prépara une injection devant une table de marbre. Il s'activait à gestes courts, rapides et précis.

Les pensées du patient eurent tendance à prendre de la gîte, à s'égarer vers des souvenirs interdits ; mais sa volonté fut la plus forte et il redevint « lui-même » sans effort.

Il ne réagit pas au contact du tampon imbibé d'éther, non plus qu'à la fugace douleur causée par l'aiguille qui violait sa chair. Il resta impassible, son regard clair perdu dans les menus « accidents » du plafond. L'aiguille lui fut retirée, puis le garrot de caoutchouc.

— Ça va ? demanda l'Asiate.

— Ça va.

Le pseudo-médecin jetait au vide-ordures l'aiguille et la seringue qu'il venait d'utiliser. Tiarko entendit la fille demander à voix basse dans combien de temps « l'effet se ferait-il sentir ».

— Deux à trois minutes, laissa tomber le petit homme. Comptez cinq pour qu'il soit tout à fait opérationnel.

Shéhérazade se leva et alla chercher un magnétophone dans un placard métallique, un Nagra de professionnel qu'elle amena près du lit de leur patient. Elle développa le fil du micro, puis installa son siège au chevet de l'aviateur.

— Vous pouvez stopper cette musique de fond, Ti-Pol ? demanda-t-elle.

Il fit droit à sa requête et le silence s'abattit brusquement sur la pièce, créant une étrange oppression.

Tiarko sentait progresser en lui l'effet de la piqûre. Une espèce de langueur qui l'amollissait et amenait dans son esprit un détachement bienheureux. Pour résister à l'injection, il se récitait la phrase clé chargée de maintenir sa volonté en état de veille : « L'illusion est trompeuse, mais la réalité l'est bien davantage ». Ç'aurait pu aussi être le plat d'un menu de restaurant ou un vers de Shakespeare. Ce qu'il avait fallu, c'était « verrouiller » son cerveau par une phrase mille fois répétée. Pendant des jours et des nuits, il avait écouté cette sentence dite, redite et ressassée par le truchement d'un walkman. A cet instant, elle constituait l'îlot de lucidité sur lequel il avait bâti une vérité nouvelle.

— C'est sûrement bon, fit le Jaune.

Shéhérazade mit en marche l'enregistreur.

— Vous voulez bien me redire votre nom ? demanda-t-elle au patient.

— Gheorghiu Tiarko.

— Nationalité ?

— Roumaine.

— Vous êtes communiste ?

— J'ai feint de l'être.

— Pour quelle raison ?

— Afin d'assurer ma sécurité et ma carrière.

— Vous comptiez parmi les proches de Ceauşescu ?

— C'est exact.

— Il vous honorait de sa confiance ?

— Sa femme, plutôt ; mais comme il subissait son influence...

— Vous êtes devenu leur pilote personnel ?

— Je n'étais pas le seul, néanmoins, oui, on peut presque dire cela.

— Vous ne vous contentiez pas d'assurer la plus grande partie de leurs déplacements ?

— Je leur tenais lieu de garde du corps, éventuellement.

— Quoi encore ?

— D'homme de confiance, aussi.

— Dans quelles circonstances ?

— Pour neutraliser certaines personnes dont ils voulaient se défaire sans en appeler à leur garde prétorienne.

— Bref, vous leur étiez devenu indispensable ?

— Personne ne l'est ; disons que je leur étais utile.

— Ils vous rétribuaient largement ?

— Plus que largement.

— Comment avez-vous réagi au moment de l'insurrection qui a déclenché leur fuite ?

— Le président m'a chargé d'aller les chercher en avion sur un terrain privé, à une centaine de kilomètres de Bucarest.

— Et puis ?

— Je devais me munir de deux valises déposées en un lieu top secret.

— Et alors ?

— J'ai récupéré les valises, mais au lieu de prendre les Ceauşescu, je me suis posé en Italie du Nord, sur un aéro-club que je connaissais. J'espérais abandonner l'appareil après en avoir sorti les valises ;

mais j'ai joué de malchance car la Digos s'est amenée avant que j'aie eu le temps de couper mes moteurs. On m'a embastillé pendant quelques jours.

« A ma libération, les autorités m'ont appris que l'argent était sous scellés en attendant d'être remis au nouveau gouvernement en exercice à Bucarest. »

Le pilote se tut. La fille au sari avait tiré de sa poche une fiche qu'elle consulta.

— Comment s'appelle votre mère ? demanda-t-elle tout à trac.

— Swetzla.

— Prénom de votre père ?

— Michael.

— Des frères et sœurs ?

— Un frère, mort accidentellement à l'âge de neuf ans ; une sœur, infirmière à Bucarest. Son mari a été tué pendant l'insurrection.

— Qu'avez-vous fait après votre bref internement en Italie ?

— Le gouvernement roumain a réclamé mon extradition.

— Ensuite ?

— Les Italiens n'ont pas donné suite à sa requête et m'ont refoulé sur la Suisse.

— Et de là ?

— Je me suis rendu en Angleterre, grâce à l'appui du frère de ma mère qui est installé à Londres depuis plus de trente ans.

— Son nom ?

— Carol Swetzla.

— Occupations ?

— Il est concessionnaire Mercedes dans la banlieue nord. C'est lui qui m'a aidé à redémarrer. J'ai trouvé un emploi de pilote dans une compagnie privée : la British Flag Fly.

« Au bout d'un an, grâce à l'appui financier de mon oncle, j'ai pu acheter un appareil pour faire de l'avion-taxi. C'est alors que les services du prince m'ont contacté. Et me voilà ! Avez-vous d'autres questions à me poser ? J'ai très sommeil. »

— Ce sera tout, fit Shéhérazade.

Une minute plus tard, le Roumain dormait profondément.

3

TU TE LA JOUES BELLE, ADÈLE.

Il se réveilla dans sa chambre, sans avoir le moindre souvenir qu'on l'y eût transporté. Le jour déclinait et la lumière prenait des couleurs mauves. Il était simplement étendu sur le lit, avec le peignoir revêtu avant la séance de laboratoire.

Sa mémoire afflua, comme l'eau retenue par une vanne lorsqu'on ouvre celle-ci. Il appréhenda la situation avec une sorte d'impétuosité de la pensée et éprouva un sentiment d'obscur contentement. Dans le patio, un oiseau du crépuscule faisait entendre un trille teinté de mélancolie.

Tiarko souleva son bras gauche et constata avec satisfaction qu'on lui avait laissé sa montre. Elle marquait dix-neuf heures dix. La sensation de bienêtre capiteux qu'il éprouvait devait provenir du produit injecté dans ses veines. Cela ressemblait à une molle euphorie. Il se sentit bien en lui-même, comme protégé de tous les dangers.

Il perçut un léger bruit sur la terrasse et se dressa sur un coude. Shéhérazade entra par une porte-fenêtre. Elle ne portait qu'un infime cache-sexe et ses seins épanouis, accrochés haut, se dressaient avec une sorte d'agressivité. Leurs bouts en étaient bleutés, ce qui incommoda Tiarko.

— Vous voilà réveillé, fit-elle d'un ton satisfait. Comment vous portez-vous ?

— Le mieux possible, assura le Roumain.

Elle s'assit au bord de son lit, souriante. Il nota sa minceur, le velouté de sa peau mate, son regard ardent de femelle qui devait toujours vivre entre deux désirs. Et quand elle n'avait plus de désirs, cela résultait de ce qu'elle les assouvissait.

— Vous ne vous formalisez pas de la petite séance ? demanda-t-elle.

— Je sais assumer, répondit-il avec son calme imperturbable.

Elle laissait errer sa main sur la jambe dénudée du « pensionnaire », hésitant à pousser davantage la caresse. Mais l'homme la déconcertait par son indifférence.

Fille aux sens impétueux, elle déplorait sa froideur, la considérait comme une brimade. Elle aimait la peau de Tiarko. A son contact, elle se sentait tomber en pâmoison comme une jouvencelle à qui un homme mûr découvre la torride félicité de l'amour physique.

Le bruit du ronfleur téléphonique rompit le charme. Elle quitta le lit pour aller décrocher.

Après un instant d'écoute, elle dit :

— Oui, justement !

On lui parla encore, brièvement. Elle raccrocha et, se tournant vers Tiarko, déclara :

— Habillez-vous : le prince veut vous voir.

Après quoi, elle retourna dans le patio récupérer ses propres vêtements.

Dans l'ascenseur, elle observait la silhouette du Roumain que lui renvoyait le miroir. Le trouvait terriblement séduisant. Il avait passé un blazer marine, un pantalon de flanelle grise, une chemise pervenche et avait noué une cravate aux rayures bleues et jaunes. Son eau de toilette était d'une subtilité attachante.

— J'adore votre parfum, fit-elle. Qu'est-ce que c'est ?

Une sonnette d'alarme retentit dans le subconscient de Tiarko.

— Je serais bien en peine de vous le dire. Il m'a été offert par une hôtesse de l'air et du diable si j'ai pris garde à l'étiquette. Mais s'il vous intéresse, je me ferai un plaisir de vous le donner ; je n'attache pas d'intérêt à ce genre de choses...

— Elles ont cependant leur importance, remarqua Shéhérazade.

— Davantage pour les femmes que pour les hommes, assura le pilote.

La cabine s'arrêta.

Tiarko s'écarta pour laisser sortir la fille. Elle aussi s'était parfumée, mais il n'apprécia pas l'odeur opiacée qu'elle dégageait, la jugeant trop « brutale ».

Il découvrit un hall sensiblement plus réduit que celui du rez-de-chaussée, mais aménagé, jugea-t-il, comme celui d'une cocotte d'avant-guerre.

Ce n'était que tapisseries aux tons pâles, tableaux

galants du xviiie siècle, statues de marbre blanc aux
grâces lascives.

Shéhérazade gagna la double porte centrale et
pressa un timbre de bronze. Peu après, un vantail
s'ouvrit.

— Entrez, fit-elle en s'effaçant.

— Vous ne venez pas ? s'étonna le Roumain.

Elle eut une expression dans laquelle il crut lire
un certain effarement. Alors il s'avança et son guide
referma sur ses talons.

L'endroit baignait dans une pénombre savante.
De lourds rideaux masquaient les fenêtres, répu-
diant le magnifique crépuscule. Quelques petites
lampes d'opaline dispensaient une lumière feutrée.

Le visiteur put examiner une pièce immense
répartie en différentes zones. Il existait la partie
bureau où trônait un formidable meuble d'inspira-
tion Louis XIV, plein de bronzes et d'acajou, de
cuir ouvragé, d'objets pompeux ; puis le côté repas,
agencé sur un praticable recouvert de tapis de soie.
La table ronde possédait un piétement doré à la
feuille et restait surchargée en permanence de
denrées comestibles : biscuits anglais, fruits exoti-
ques, douceurs levantines, croquembouche, caviar
dont on renouvelait sans cesse la glace, mignardises
japonaises ; plus que le luxe exubérant, c'étaient
ces victuailles qui donnaient une sensation de
richesse inextinguible. Venait enfin la zone de
détente, aux sofas pleins de grandiloquence dont
les coussins tentaculaires inspiraient presque de la
crainte à l'arrivant non averti.

Tiarko aperçut le prince dans un canapé monumental, et décida qu'il n'oublierait plus jamais cette vision.

Le monarque portait un costume de velours noir, très large, une chemise de soie à col ouvert qui laissait voir une chaîne d'or à laquelle pendait une énorme médaille enrichie de pierres précieuses.

Un garçon d'une vingtaine d'années, blond et musclé, se tenait allongé, nu comme un ver, sur les coussins, sa tête reposant sur les jambes du prince ; ce dernier caressait avec douceur le corps de l'éphèbe, comme il eût laissé filer entre ses doigts les grains d'ambre d'un chapelet.

Tiarko s'avança vers le couple et, parvenu à trois pas de lui inclina le chef en disant :

— Mes respects, Monseigneur.

Son hôte le considéra comme si une forte distance les eût séparés. Il ne cessa pas de promener sa main fine sur la peau du garçon dévêtu.

Puis il récupéra son regard pour contempler le corps de l'apollon aux cheveux d'or.

— Je vous remercie d'accepter mon invitation, monsieur Tiarko, dit-il d'un ton de miel.

Le Roumain esquissa un léger sourire et s'abstint de parler.

— Vous me connaissez ? demanda-t-il au pilote.

— Les grands de ce monde ne peuvent demeurer inconnus du public, Monseigneur. Cela dit, je ne sais de vous que ce qu'en disent les magazines : pas grand-chose au demeurant.

Son interlocuteur parut aimer sa réponse et lui adressa un léger sourire de connivence.

— Etes-vous traître par vocation ou par nécessité, monsieur Tiarko ?

L'interpellé ne se départit pas de son calme.

— Puis-je vous demander de préciser votre pensée, Monseigneur ?

— Je fais allusion à ce tyran de Ceauşescu que vous avez abandonné à un moment déterminant de son parcours.

Tiarko secoua la tête.

— Ce n'est pas moi qui l'ai abandonné, mais son destin. Le monde était tout à coup devenu trop petit pour lui ; me joindre à sa perte n'aurait rien changé aux événements.

— Vous êtes pragmatique.

— Je m'y efforce ; c'est l'une des conditions permettant de vivre plus longtemps que d'autres qui ne le sont pas.

L'hôte eut une lueur dans les yeux.

— Je pense que vous allez me plaire, annonça-t-il.

Tiarko considéra le minet caressé, qu'une érection pas franchement aboutie tenaillait. Il s'inclina.

— J'en suis honoré, Monseigneur.

— Avez-vous une idée de la raison qui m'incite à faire appel à vous ?

— Pas la moindre.

— Et vous êtes venu !

— Quand on me verse vingt-cinq mille dollars simplement pour me rendre en Andalousie discuter d'un éventuel contrat, j'accepte sur-le-champ ; surtout lorsque c'est un homme de votre qualité qui souhaite traiter avec moi.

Le prince avait saisi les génitoires de son giton et les malaxait doucement, de manière experte. L'érection du garçon croissait sous la manœuvre.

Le pilote s'efforçait d'ignorer ces attouchements.

— Asseyez-vous, lui proposa son hôte.

Tiarko regarda alentour. Ces canapés « profonds comme des tombeaux » l'incommodaient. Il se décida pour un repose-pieds sur lequel il s'assit presque en tailleur.

Le prince agita une clochette au son cristallin qui suscita l'apparition immédiate d'un serviteur noir.

— Que voulez-vous boire, cher Tiarko ?

— Je m'alcoolise peu, ce qui est préférable dans mon métier, néanmoins j'accepterais volontiers un whisky sur de la glace, Monseigneur.

Il fut servi en un temps record.

— Et toi ? demanda l'Arabe à son compagnon nu.

— Whisky également, mais avec du Coca, dit l'interpellé.

Contrairement à ce qu'on pouvait attendre, il possédait une voix grave. Quand il fut servi, il s'assit pour boire. Son sexe à demi dressé dodelinait entre ses cuisses musclées. Le prince ne prit rien. Il marquait fréquemment des espèces de temps morts, comme si sa vie se déroulait en pointillé et qu'il dût s'interrompre d'agir et de parler pour se consacrer à la réflexion.

Il demanda enfin :

— Lorsque Ceauşescu vous a ordonné de venir le chercher, il vous a également demandé de prendre deux valises.

— Exact.

— Que contenaient-elles ?

— Des dollars.

— Vous le saviez ?

— Oui.

— Où se trouvaient-elles entreposées ?

— Dans une cache pratiquée dans la maison d'un parent infirme de la femme Ceauşescu auquel elle rendait parfois visite.

— Ce parent était au courant ?

— Non.

— Et vous ?

— C'est moi qui avais aménagé la cache en compagnie d'un ouvrier maçon qui mourut d'accident, ce travail achevé.

Le prince hocha la tête d'un air amusé.

— Il est des travaux qui portent malheur, n'est-ce pas ?

— On se le demande, admit Tiarko.

Le maître des lieux donna soudain une claque sur la cuisse de son éphèbe.

— Laisse-nous, Boby !

Ce dernier se montra d'une soumission absolue et quitta la pièce en emportant son whisky.

— Il a un beau sexe, n'est-ce pas ? demanda le prince.

— Je n'y ai pas prêté attention, avoua Tiarko. J'aurais dû ?

— Les garçons ne vous tentent pas ?

— Sexuellement, pas du tout, et les femmes non plus.

— Impuissant ?

— Ça y ressemble : j'ai fait de graves crises de diabète et vous devez connaître les effets de cette maladie ?

— Je vous plains.

— Merci de votre compassion, Monseigneur,

mais elle ne se justifie pas. On n'éprouve aucune difficulté à jeûner quand on n'a pas faim.

L'Arabe sourit.

— Peut-être, mais je souffrirais énormément si j'étais à votre place. Rien n'est plus beau que d'être en proie à un désir et de l'assouvir. Maintenant, parlons sérieusement : ayant été un familier des Ceauşescu, vous avez dû entendre parler de leur trésor. Quelque chose de bien plus considérable que deux valises bourrées de billets de banque.

Trarko réfléchit, puis haussa les épaules.

— Des on-dit, finit-il par déclarer ; on prête beaucoup aux riches.

— Certes, convint son vis-à-vis, et savez-vous pourquoi ? Parce que les riches ont beaucoup. Vous connaissez le trésor Izmir ?

— Plus ou moins...

— Eh bien moi, je vais vous en dire plus, mon cher. Lorsque le shah d'Iran, mon ami, s'est exilé, il a emporté différentes petites caisses marquées « Affaires personnelles », lesquelles contenaient en réalité quelques-uns des plus beaux et des plus précieux joyaux du monde appartenant en propre à Reza Pahlavi : le trésor Izmir.

« Or, figurez-vous que pendant ses pérégrinations, il fut volé à ce cher monarque. J'ignore tout des circonstances de ce forfait. Mais ce que je sais, c'est qu'en fin de compte, et après pas mal de tribulations, il entra en possession du couple de dictateurs roumains. »

Une haine bestiale faisait briller les yeux d'onyx du prince. Le pilote en fut impressionné.

— Je suppose, Monseigneur, que si vous affirmez la chose avec tant d'assurance, c'est parce que vous avez la preuve de ce que vous avancez ?

— Vous supposez juste, bougonna son interlocuteur.

C'était un être irascible qui ne tolérait que l'obséquiosité ; peu de gens, à ce jour, avaient dû lui tenir tête.

Tiarko attendit la suite, figé. Il n'osait même pas porter son verre à ses lèvres.

— Par quels louches brigandages ces gemmes impériales tombèrent-elles entre les sales pattes d'un dictateur rouge, je l'ignore, fit le prince ; mais les faits sont là.

Il se leva et Tiarko constata avec surprise que son hôte était de petite taille ; il ne devait guère mesurer plus d'un mètre soixante.

Le prince accomplit une sorte de ronde nerveuse dans la vaste pièce. Il avait un tic qui retroussait la partie gauche de sa bouche en un rictus pour film de série B.

Soudain calmé, il revint auprès de son invité.

— Ces infâmes Ceauşescu ont dû trouver un endroit sûr où cacher ce trésor, fit-il d'un ton rêveur. Est-ce en Roumanie ? Est-ce à l'étranger ? Je pencherais pour la seconde hypothèse. C'est la poire idéale pour la soif de dictateurs déchus.

Un long silence suivit ; un de ces brusques silences crispés dont l'Arabe paraissait avoir besoin pour rythmer sa pensée.

Comme chaque fois, il le rompit avec brusquerie :

— Naturellement, j'ai pensé à un coffre en Suisse. J'ai payé une fortune des détectives privés de classe internationale, pour qu'ils enquêtent dans ce sens. Sans leur révéler, bien sûr, la nature du dépôt éventuel. Leurs investigations n'ont absolument rien donné. J'ai donc abandonné cette hypothèse, les Ceauşescu n'auraient pu accomplir personnellement les formalités nécessaires sans s'assurer le concours d'un homme de paille. Mais existe-t-il dans l'entourage d'un dictateur quelqu'un de suffisamment fiable pour assumer une telle opération ? Prenons votre exemple : quand les choses ont mal tourné, vous n'avez pas hésité à laisser tomber ces misérables !

Il n'y avait aucune acrimonie dans sa dernière phrase, il étayait simplement un argument.

Tiarko ne broncha pas. Il s'enhardit seulement à boire une forte gorgée de scotch.

— Vous devez vous demander ce que j'attends de vous, monsieur Tiarko ? ajouta le prince.

— Je pense que je représente votre ultime espoir ? fit le Roumain avec calme. J'étais un familier des Ceauşescu, je connaissais leurs caractères, leurs penchants ; mieux, leurs habitudes.

Le visage de son vis-à-vis s'éclaira.

— Vous avez tout saisi. Quelque chose me dit qu'en vous faisant contacter j'ai frappé à la bonne porte. Je vais jouer cartes sur table, mon ami : si vous acceptez de vous atteler à cette recherche, je vous fournirai tous les moyens d'action que vous jugerez utiles. Tous, m'entendez-vous ? En cas de réussite, je vous verserai un million de dollars. En cas d'insuccès, je vous en donnerai vingt-cinq mille à titre de défraiement. Cette proposition vous paraît-elle valable ?

Tiarko considéra son hôte en dissimulant sa curiosité. Le prince devait follement tenir à ce trésor. D'en parler le plongeait dans un état de surexcitation qu'il parvenait mal à dominer. Depuis plusieurs années, il ne vivait plus qu'avec la perspective de mettre la main sur les joyaux du défunt monarque iranien.

— J'accepte votre proposition, Monseigneur ! fit l'ancien pilote des dictateurs abattus.

— J'en suis ravi. Pour la bonne règle, je dois préciser encore, monsieur Tiarko, que si, par chance extrême vous retrouviez le trésor Izmir, ne cherchez pas à me faire à moi le coup des valises car vous ne survivriez pas longtemps.

4

TU REGARDES LE FIRMAMENT, ARMAND ?

Ciel étoilé. Le plus beau spectacle de l'univers.
Tout mec non con biche les chocottes. Je te prends
la galaxie d'Andromède... Elle se trouve à deux millions d'années-lumière, et pourtant tu la vois briller. Tu sais ce que ça représente, deux millions
d'années-lumière, técolle ? Trois cent mille kilbus à
la seconde ; multiplié par soixante pour obtenir la
distance par minute. Soit dix-huit millions de kilbus. A quoi bon pousser plus loin ? La distance, en
une plombe, n'est déjà plus récitable pour un pékin
de ma sorte. Eh bien essaie de commensurer ce que
peuvent donner deux millions d'années ! C'est plus
un vertige qui te biche, mais la trouille verdâtre. Tu
glaglates, t'as envie de crier pouce, tu voudrais te
réfugier quelque part. Seulement y a pas de « quelque part ». On est coinçaga dans la ronde, Ray-
monde. On nébulise de la coiffe. On peut même
pas prier, tellement qu'on est pris de doute devant
une telle effarance. Une balle dans le gadin ? Et
après ? C'est plus une fuite quand on sait ce que je

sais. On l'a dans l'œuf parce qu'ON EST DANS
L'ŒUF !

Tu piges ? Non ? Tant mieux pour toi. Ce que
j'aimerais être abruti, moi aussi, simplement une
journée, pour mettre mon caberluche en vacances.
Siroter un Campari en survolant le *Figaro*. Me faire
chatoyer le battant de cloche par une dégusteuse
de membrane assermentée. Me laisser dorer les
noix au Club Med, tout ça. Juste avoir le souci des
impôts et de mon cholestérol. Putain, ce panardin !
Qu'au lieu je m'use la gamberge à fourvoyer du
cosmos en évoquant les glandus qui m'ont précédé
et ont comporté comme s'il n'existait pas ! Sont
morts rassurés, leur destin accompli.

Têtes de nœuds, va ! Béatement, les pinceaux en
flèche dans leur boîte à dominos, se croyant éter-
nisés dans le confort de la tombe ! Les branques !
Les mal emmanchés ! Quelques milliards d'années,
et zob ! Fini. Plus de planète, plus de nous ! L'happé
éternel ! Rien ne se perd, qu'il a prétendu l'autre
gus ! Oui, mon chéri ! Attends la suite ! Va chez
Lavoisier, je crois qu'il y est !

Je me lève, le corps irrité, avec de la gueule de
bois plein le bocal. Salle d'eau. La giclette nocturne
pour se dégonfler à fond la vessie. J'ouvre le réfrigérateur. Un jus de quoi, je m'offre ? Ça a beau
être *fresco,* dix secondes après t'as resoif. J'opte
pour un Coke. Au moins on sait où ça va. Y a un
décapsuleur incorporé à la lourde. Goulou goulou.
Fusée volante inévitable ! Les wagons sont accrochés ! En voiture ! Faut retourner te « toyer »,
Antoine. Un mot de ma grand-mère, ça : « se
toyer » (pour se coucher).

Leur piqûouze de merde m'a chancetiqué le physiologique. J'avais beau, en prévision, avoir pris des trucs machins préventifs, cette seringuée de leur drogue salope m'a tout de même éprouvé.

Dis, je suis pas un cobaye !

Malgré les rideaux, le clair de lune andalou craque de partout et glisse dans l'immense piaule des traînées blafardes.

Le silence est vaguement troublé par un chuchotement d'eau provenant de la piscaille ; quand tu te mets à lui prêter l'oreille t'entends plus que ça. On est vachement perméables, les hommes : à la lumière, à l'eau, au bruit, aux odeurs. Poreux, je me sens. J'ai l'air d'un bloc, d'un monolithe ; mais tout l'univers me viole insidieusement. C'est entrée libre dans la carcasse à Sana !

J'aurais dû rester devant mon verre d'Yquem. Mais non : toujours à me mettre en avant, à risquer mes os pour la peau (si j'ose ainsi exprimer). La gloriole, tu dis ? Le besoin de chiquer les Bayard parce que je suis dauphinois, tu crois ? N'empêche que ce glandu est clamsé à quarante-huit piges à trop vouloir s'offrir six lignes dans le Larousse ! Le seul mec dont on n'a jamais pu enrayer le hoquet ! Evidemment : il n'avait pas peur !

J'ai pas fini de me récriminer. Mais quoi, en agissant comme j'agis, j'obéis à ma nature impulsive, à la prodigieuse détente de l'instant ! Y a ceux qui tournent sept fois leur menteuse dans leur clape avant de jacter, et puis y a moi, qui donne mille balles avant qu'on me les ait demandées. Deux races opposées. Inutile d'essayer de changer : pour ce qui reste, je finirai en l'état !

Je cherche une odeur dans la chambre, y en a pas. Si : le neuf ! Le rien ! L'ensemblier !

Le lit a la dureté des plumards qui n'ont pas encore servi. Un lit, bordel, faut que des gens y dorment pendant des mois, y copulent à tout va. Ça se culotte. Essaye d'aller pieuter dans une vitrine à M. Lévitan, tu m'en donneras des nouvelles !

Je m'y allonge à plat ventre et les bras en croix afin d'utiliser tout le champ de tir.

Allons : un petit *come-back* du sommeil, plize ! Il n'est que onze plombes ; la noye sera encore longuette.

Je file ma pipe sous l'oreiller, des fois ça me réussit. On a tous ses petites recettes de grand-père !

Des images m'affluent ; mafflues quand elles concernent Béru. Je revois notre brasserie où parfois, l'été surtout, on va se dilater l'estom' à la pression, avec les potes. Je revois un endroit de notre jardin de Saint-Cloud où les orties se la donnent belle. Avant on avait un Polack qui s'en occupait. Et puis il s'est fraisé la gueule à l'usine, le pauvre. J'ai alors déclaré à m'man que, doré de l'avant, on se prenait plus personne et que c'est Bibi qui allais chiquer les Le Nôtre. Mais tu sais ce que c'est ? Oui, tu sais ? Bon, alors je la boucle ! Ma chère vieille enlève le plus gros, plante quelques salades dans le coin potager, de la romaine, c'est son régal. Mais le reste du terrain part en friche allègrement. C'est décidé : quand je vais rentrer *at home,* je me mettrai en quête d'un jardinier, d'un vrai, et on aura des espaliers, des massifs, tout le circus que la nature t'offre gratos, mais qui vaut des fagots, réalisé par un pro de la binette. Priez pour eux, pauvres bêcheurs !

Ma gamberge fait le toton. Elle turbine en produisant un léger sifflement centrifuge. C'est leur merderie d'injection qui m'empêche d'en concasser, je suis sûr. Le corps humain, faut bien gaffer ce qu'on y met dedans : du pinard, du boudin, des entrecôtes, c'est banco. Mais les chiasseries pharmacopeuses, *Achtung !* Il déjante.

Je repousse toutes les penseries qui me cernent, veulent m'assaillir. Faut se méfier des idées horizontales. La seule gambergence possible concerne la baise. Là, oui, tu peux donner libre cours. C'est même dans la touffeur d'un plumzingue qu'on échafaude les plus subtiles combinaisons. Des trucs, auxquels tu ne penses pas toujours dans la frénésie de la copule, t'affluent au cigare. T'en décèles la portée, les gracieuses implications.

Par exemple tu prends un thème et l'exploites bien. Là, j'opte pour une chaise. Je prospective tout ce qu'un couple en délire peut perpétrer avec un tel siège. Les manières plaisantes de l'utiliser dans une séance de tringlette.

A mes débuts casanovesques, j'ai bénéficié de la technique d'une femme d'expérience qui avait l'âge d'être ma tante (j'aime pas mêler le saint nom de « mère » à des baisouillances). Sa spécialité, Mme Larchaix, c'était le steeple-chaise. C'est dingue, ce qu'elle a pu m'enseigner sur une simple chaise de cuisine, la grosse chérie. On croit que ça ne va pas loin, détrompe-toi, Lucien ! Depuis « debout, avec elle mettant un pied sur le siège », en passant par « moi assis, et elle me chevauchant de face et de fesses », pour continuer par des plaisanceries comportant la mère Larchaix agenouillée dévotement tandis que j'y allais d'un « emplâtrage cosaque du Petit Chose », sans te causer de plusieurs autres figures ingénieuses dont la liste, non exhaustive, serait interminable.

On peut pas se figurer, quand on est un moudu, simple trempe-biscuit dans le régiment des cornards, ce que des frénétiques de la tringle sont inventifs. Le combien elles leur arrivent en droite ligne des glandes, leurs inventions. Ils sauront jamais, les pauvrets du manche, vu le champ de manœuvres immense que l'amour développe à perte de vulve.

J'en suis à mémorer tout un circus salace lorsqu'un bruit m'attire l'attention : un léger choc suivi d'un glissement feutré. Je suis prêt à te parier l'appareil dentaire de la couine Elisabeth contre la connerie de son fils aîné, que quelqu'un entreprend d'ouvrir ma lourde, chose aisée puisque son verrou est bidon, mais elle est freinée par le fauteuil que j'ai placé derrière.

Etant couché à plat ventre, il m'est fastoche d'observer dans le clair-obscur (plus obscur que clair), le comportement de la personne en train de forcer mon intimité.

Je suis enclin à croire qu'il s'agit de la belle Shéhérazade. De très grande évidence, cette frelote s'en ressent pour moi. M'est avis qu'ici elle n'a pas grand monde à se coller entre les cuisses, c'est pourquoi ma présence dans le palais chancetique son sommeil. Je te parie le machin que t'aperçois là-bas, contre le beau truc que voici, qu'elle a le frifri en éruption. Deux doigts de cour et un solo de mandoline n'ayant pu calmer sa fringale nocturne, elle vient chasser le paf, nuitamment, la petite goulue, ne désespérant pas de vaincre ma froideur par le feu de sa passion, comme l'écrit Mme Weil dans son joli roman intitulé « En voiture, Simone ».

Et puis la silhouette se rapprochant, force m'est de déchanter, voire de déjanter, en constatant qu'il y a erreur d'estimation. Foin de la belle enfant à la peau dorée, en fait, c'est le bon docteur Ti-Pol qui se radine sur la pointe des baskets. Il a troqué sa blouse médicale contre une robe de chambre noire attelée d'un dragon doré plus tartignol que nature.

J'attends qu'il soit à un mètre cinquante de mon paddok d'apparat pour me manifester :

— Vous avez des insomnies, vous aussi, docteur ?

Et j'actionne le commutateur de lit.

Dans une belle lumière orangée, l'Asiatique fait davantage chinois. Mais peut-être vient-ce de son dragon à la mords-*me the* zob ?

Ti-Pol demeure un pas vide (comme dit Béru).

— Veuillez me pardonner de violer votre intimité, il murmure, mais il était nécessaire que nous ayons un entretien privé.

Je m'assieds dans ma somptueuse couche, le dossard calé par deux oreillers, vigilant et amène.

Ma posture place l'arrivant en état d'infériorité puisqu'il est contraint de rester debout et de côté.

— Eh bien, je vous écoute, mon cher, l'invité-je-t-il d'une voix non seulement urbaine mais aussi suburbaine.

Cézigmoche, il engage le fer sans attendre qu'il soit chaud :

— Vous n'êtes pas Gheorghiu Tiarko, dit-il froidement.

Dans mon métier, très particulier, il faut s'attendre à tout et au reste. Surtout au reste. L'imprévisible chemine à notre côté et se place parfois devant nous, les bras en croix pour nous empêcher de passer. Dans ces cas singuliers, quoi faire ?

Eh bien je vais te le dire : d'abord conserver son calme, qu'il atteigne à l'indifférence souveraine. Ne pas se mettre à régurgiter, oh ! que non. Opposer à l'attaque la désinvolture la plus complètement suprême. Pas ergoter surtout. Ni indigner. Encore moins tempêter. Le détachement absolu. Calmos, badin, dédaigneux quasiment.

Mézigo, peinardoche, pattounes jointes sur ses grosses balloches emmanchées d'un long cou, je considère cet ancêtre de l'homme descendu des arbres avec une espèce d'aimable commisération.

— Ça consiste en quoi, docteur ? je demande comme s'il venait de me citer le nom d'un plat exotique qui me serait inconnu.

Tu sais que je le trouve pas sympa, ce Niaque. Il m'est arrivé de rencontrer des gonziers antipathiques : des grincheux, des hépatiques de l'âme, des tourmentés de la raie au milieu. Mais ils ressemblaient à saint Vincent de Paul, comparés.

Si je crois le déconcerter avec mon attitude désinvolte, je me carre le salsif dans le lampion à en trouer le fond de mon slip !

— Savez-vous pourquoi vous n'êtes pas Gheorg-

hiu Tiarko ? il me questionne avec sa voix douce-
rette.

— Pas encore, j'élude, un tout petit pneu crispé
dans mes baskets de cérémonie.

— Parce que vous êtes l'ex-commissaire San-
Antonio de la Police de Paris !

Le silence qui succède à cette affirmance non
dénuée de fondement (comme dit toujours un *gay*
de mes relations qui pourrait planquer un violon-
celle d'un peu plus de quatre octaves dans le sien)
me fait comme si je découvrais un crocodile dans
ma baignoire au moment de prendre mon bain
mensuel.

Je ne me donne pas le ridicule de nier l'évidence.

— Puisque vous le dites, docteur...

— Je le dis parce que c'est la vérité. J'ai dans
mon appartement un minuscule fichier où sont ras-
semblés les signalements de tous les principaux
policiers du monde.

— Il en est bien qui collectionnent les timbres-
poste.

Il extrait de sa poche une sorte de plaque transparente comportant mon portrait en négatif ainsi
qu'un texte d'une dizaine de lignes imprimées à
l'envers.

— Pas besoin de l'appareil de projection, je
pense ; vous vous reconnaissez ?

— Comme si c'était moi, Doc.

Nouveau silence. Le Niaque se mordille un coin
d'ongle qu'il finit par sectionner et cracher.

— Je suppose que vous avez fait part de votre
découverte au prince ?

— Pas encore. Je préfère avoir un entretien avec vous auparavant.

— Chinois ! ne puis-je me retenir.

— Pardon ?

— Non, rien ; c'est une plaisanterie à zéro franc cinquante dont les Français, gens d'esprit, sont coutumiers.

Il a un léger haussement d'épaules abdicateur.

— Vous comprenez qu'en l'état actuel des choses, vous n'avez aucune chance de quitter ce palais sans le consentement de son propriétaire. C'est mieux qu'une forteresse : une chambre forte.

— Ce préambule pour arriver à quoi ?

— A ceci, monsieur San-Antonio : votre existence est actuellement entre mes mains. Que je parle de ma découverte au prince et, quelques heures plus tard, vous serez immergé au large, à l'intérieur d'un bloc de béton armé. C'est le système qu'a choisi Monseigneur pour se défaire des gens intempestifs.

— Classique, mais radical, apprécié-je-t-il. Il ne me reste plus qu'à vous demander quelle solution vous envisagez, qui me permettrait d'éviter d'avoir le détroit de Gibraltar pour sépulture.

— M'obéir en tous points !

— Mais encore ?

— Accepter une alliance avec moi ; d'ailleurs vous n'avez pas le choix !

— Vous avez des arguments déterminants, Doc.

— S'ils ne l'étaient, je me serais abstenu de venir vous parler en pleine nuit.

— Eh bien, puisque les dés et le sort en sont jetés, j'attends vos propositions.

— Si vous vous faites passer pour Gheorghiu Tiarko c'est dans un but important.

— Tout est relatif, docteur.

— Il me faut connaître vos intentions avant d'aller plus avant !

Je crois te l'avoir signalé, à moins que je ne fasse de la sénilité précoce : ce ouistiti me trottine sur la prostate. Je suis en train de penser qu'il ruine mon action en m'ayant identifié. A cause de cet avorton hépatique, tout risque de foirer. Or, RIEN ne doit être entravé au cours de cette mission, l'une des plus périlleuses et des plus délicates de mon étincelante carrière.

Pendant ce préambule auquel nous souscrivons, la seule véritable question qui me gravite dans le cassis est : « Comment me débarrasser de cette mauviette safranée ? »

Alors ça gire à toute vibure sous ma coiffe car, tu l'auras remarqué pendant nos précédentes réunions de groupe, je ne suis pas le genre de perdreau d'élite qui accepte de se laisser débarquer du canot qu'il pilote à quatre-vingts nœuds à l'heure (plus le sien !). Si, d'entrée de jeu, un Niaque comme Ti-Pol me casse la baraque, j'ai plus qu'à me mettre guide de haute montagne dans la Beauce.

Mais plus je tente de réfléchir, moins d'éventuelles solutions m'apparaissent, si bien que je décide de stopper la gamberge et de laisser vaquer mon instinct.

— Vous ne soufflez mot ? objecte cet homme à qui rien n'échappe, sinon un grand rot après le repas.

— Les propositions importantes qui nous sont faites requièrent notre réflexion, lui sers-je (July).

Il dit :

— Vous ayant reconnu immédiatement, je me suis abstenu de vous médicamenter, tout à l'heure.

Là, une sirène de bateau, longue et stridente, se fout à me ululer dans la cabèche. Tu parles d'une révélation, Gaston !

— Comment cela ? glabouillé-je en évitant d'avoir l'air aussi pomme-à-l'eau que je me sens (1).

— Je vous ai injecté une solution qui, sans rejoindre le placebo, était assez anodine et n'altérait pas vos facultés.

Moive qui me croyais devenu surhomme grâce à Mathias. Moive qui pensais dominer les effets des drogues asservissantes ! Ballot ! Jus de connard ! Crème de nœud !

— Je me disais aussi, marmotté-je (ou marmonné-je, au choix).

Alors, ce que j'espérais de mes réflexes subconscients, s'opère. Voilà que je me ramasse et plonge sur le Jaunassou. Boule en direct contre la sienne. Un bruit sourd, aurait dit Beethoven. Il tombe en arrière. Je pieds-jointe sur son estom'.

Vzzzzlffff ! N'ensute, comme il est à terre, les jambes en « i » grec (ou en y) renversé, je lui talonne l'entre-deux à trois reprises. J'aimerais être chaussé de bottes, voire de souliers de ski, mais à l'impôt-cible nul n'est tenu. Il émet une râlerie et

---

(1) Tournure de phrase peu usitée chez San-Antonio, mais qu'est-ce que ça peut foutre ?

sa belle couleur bronze tourne au vert oseille. Et puis se tait.

Mécolle, indécis, vaguement stupéfait par cet éclat, je demeure à côté de mon zigoto, à peine essoufflé par cette petite prouesse. La réalité froide et dure me reprend. Je m'apostrophe en termes peu amènes. « Pauvre figure de fifre ! me dis-je sans indulgence, te voilà dans de beaux draps ! Comment vas-tu pouvoir t'extraire d'une situation aussi débile ? »

Angoisse !

Faut en appeler à mon petit lutin perso. Y a longtemps que je ne lui ai pas cassé les couilles, il peut bien faire un peu de travail de nuit histoire de me salvater !

Je le convoque de toute urgence pour une réunion au sommet.

« Comprends-tu, lui chuchoté-je, quand il va récupérer, il n'aura pas d'autres ressources que d'affranchir le prince à mon propos. J'aurai alors droit au pardingue en ciment et la plongée gracieuse dans le détroit. »

Il en convient. Que même il en rajoute, comme quoi s'agit pas de se baquer dans une pareille cuve de gadoue et d'appeler au secours ! Que, merde ! les miracles, c'est la partie exclusivement réservée au boss. Lui, un coup de main, temps à autre, bon, il dit pas, mais qu'à ce point c'est *too much*. Quand on se fout dans la mouscaille délibérément, c'est trop fastoche ensuite d'appeler les scouts de France !

Il déblate, dévide. Je le trouve ronchon, cette noye, l'artiste. S'il veut plus secourir les pauvres pêcheurs dans mon genre, faut qu'il remette ses ailes au vestiaire et change d'occupe ! Un sauveteur qui rechigne, on n'en a rien à cirer.

Ulcéré, je lui dis de se casser, que je ferai sans lui, bordel !

Et c'est à cet instant que les circonstances viennent prendre le relais. Voilage-t-il pas que messire Ti-Pol, retour des quetsches, est en train de repter jusqu'à moi, mine de rien.

Ces Asiates sont cap' de se déplacer aussi silencieusement qu'un *snake*. Je m'avise de la chose à l'instant où il lève le bras pour, tu sais quoi ? Me virguler un dard dans le mollet. Un dard ! A moi !

L'esquive que j'exécute me sauve la vie. Car, sur sa lancée, sa main planteuse continue de trajecter et finit sa course contre sa cuisse à lui. Si bien que le dard... Mais t'as déjà tout pigé, nonobstant ton peu d'intelligence, Hermance. Eh bien oui, Françaises, Français, ce connard s'autopique. C'est pas jouissif ? L'arroseur arrosé ! Qu'en constatant le fait, il lance un « Ohhhh ! » d'une détresse humaine infinie, puis soubresaute, ouvre si grand sa gueule que je vois son pancréas comme tu vois le gros cul de la princesse Margaret quand elle va regarder des bites de cheval à Ascot, ombragée d'une capeline grande comme la tente sous laquelle François Ier reçut Henry VIII au camp du Drap d'or.

Le médecin... (j'allais dire « marron ») glabouille quelques syllabes incertaines dont je me demande si elles étaient destinées à construire des mots, et puis meurt sans crier gare ni coup férir. Poum ! D'un trait !

J'exhale un très beau soupir de cinéma dans le

style de ceux que proférait (car ils équivalaient à
des paroles) M. Pierre Blanchard avant de faire ses
aveux à la duchesse de Moncustord.

« Partiellement sauvé ! » m'exclamé-je dans mon
for intérieur. Et de m'ajouter, après un instant
consacré à des actions de grâce personnelles dont
je m'abstiendrai de révéler le nom du bénéficiaire :

« Que vas-tu faire du cadavre, maintenant ? »

Question plus épineuse qu'un oursin, tu vas
m'accorder le plaisir d'en conviendre !

Je m'interprète la méditation de *Thaïs* (musique
de Massenet sur un livret d'après Anatole France).

Mille idées saugrenues m'assaillent. Je conserve
la plus dingue, pousse le corps sous mon lit à palan-
quin (Béru dixit) et ouvre les rideaux pour aller
respirer sur la terrasse.

5

T'AS DES FUITES, ÉDITH ?

Tel que ça décarre, je suis bon pour prendre un stand au prochain Salon de l'Enterrement.

Je me rappelle plus de qui est la pièce « Comment s'en débarrasser ? » En tout cas, son titre résume aux petits oignons ma situation présente.

Il est inenvisageable que je coltine ce macchabe par les couloirs à la recherche d'une sépulture descente (1). Le palais est truffé de caméras qui rendent compte des moindres déplacements à l'intérieur (comme à l'extérieur) du domaine.

Dans mon patio règne une nuit enchanteresse. La lune montre son cul énorme, tout là-haut ; la piscaille murmure, because l'épurateur de flotte ; le jet de la vasque chuchote des bucoleries et le doux rossignol prépare son récital pour sa belle, les piafs étant aussi glandus que les hommes.

Je ne perplexite pas cent ans. D'un bond, me

(1) Cette erreur orthographique parce que je rêve d'une bonne vieille cave, voire chaufferie, dont la chaudière pourrait servir de four crémateur.

juche sur le rebord de la vasque murale, ce qui me permet de filer un coup de périscope par-dessus le mur. De l'autre côté, l'est une courette pavée. Rétablissement du grand artiste de la Poule parisienne. Je saute. Chocotte pas : deux mètres, y a pas de quoi se la peindre en rose et se l'encadrer !

Deux portes s'ouvrent sur cet espace neutre : l'une accède à la crèche, l'autre donne sur l'extérieur. *This is* fermé au gros bon vieux verrou de nos ancêtres. Certes, il grince quand on l'actionne. Plus malin que quinze sapajous, je l'enduis de ma salive, kif Béru fait avec son zob pour fourrer une pécore trop étroite de l'entrée des artistes.

Délourde.

J'attends, le cœur un tantisoit battant. Mais un grand silence m'environne, comme on dit dans les beaux livres écrits par des gens de métier.

Cette ouverture livre accès à un vaste potager parfaitement tenu, qui ferait bander le brave père Nonoeil de la 2, çui qui te raconte comment tailler les rosiers, planter les boutures de persil et semer les trèfles à quatre feuilles.

Courbé, je me prends à circuler à travers les allées bien rectilignes, admirant au passage les chandeliers végétaux des arbres en espalier, les avocatiers, les orangers, les citronniers et autres cognassiers centripèdes.

Mes pas me conduisent là que le cher Seigneur soucieux de ma destinée a voulu : à la fosse à compost où s'élabore le terreau fertiliseur. Le rêve ! D'autant qu'une forte bêche est à pied d'œuvre, n'attendant que ma venue pour provo-

quer des ampoules dans mes mains aristocratiques.
Tu parles d'une aubaine, Germaine.

Tu verrais le cher Sana joli, la manière qu'il opère
un bath retour à la terre ! Creuser est d'autant plus
fastoche que j'ai affaire à un terreau léger. Je dois
valoir le déplacement, en animal fouisseur : un vrai
fox à poil dur !

Me faut pas vingt broquilles pour obtenir une
fosse dans la fosse. Ne me reste qu'à exécuter
quelques nouveaux rétablissements afin d'aller
chercher le locataire de ce petit trou pas cher.

N'empêche qu'il est passablement fourbu, l'apollon, après cette séance d'inhumation express. Je
totalise un début de sciatique dans la guibolle gauche, une légère entorse (que je me suis faite en sau-
tant le mur), plus un bleu à la cuisse qui ressemble
à la carte de l'Italie sans la Sicile.

De retour à ma chambrette d'amour, je brûle la
fiche qui me concernait, évacue les cendres rési-
duelles par les chiches et m'offre un bain nocturne
dans l'eau irréelle de la piscaille.

Te dire qu'en me torchonnant dans le plumard à
colonnes j'ai la satisfaction du travail accompli
serait inexact, néanmoins je ne puis m'empêcher de
penser que je viens de faire quelque chose pour moi
d'irremplaçable.

On m'a toujours bassiné les couilles avec le
« sommeil du juste ». Franchement, il doit ressembler à ce que j'éprouve présentement.

Mon bain au clair de lune a gommé ma fatigue
et quelque peu réparé mes avaries de machine.

Je retrouve ma posture d'insomnie, mais la

nature humaine est ainsi faite que, maintenant, elle me drive droit dans les vapes.

Demain sera un autre jour.

Enfin, j'espère !

6

QU'EST-CE QUE TU EN PENSES, HORTENSE ?

Que j'ai laissé les rideaux ouverts et que donc,
un beau soleil andalou vient me lécher depuis l'étui
à prostate jusqu'aux sourcils.

Eveil du maître. Le surdoué que je ne me cache
pas d'être respire un grand coup, puis se gratte le
sous-burnes, endroit riche en replis démangeurs.

J'avance ma main préhensile jusqu'au téléphone,
décroche.

— Hello ? que ne tarde pas à gazouiller une voix
de rosière en train de se faire lécher la chaglatte.

— Pourrais-je avoir un petit déjeuner ?
demandé-je-t-il dans mon anglais le plus aménagea-
ble.

— Certes, répond la pubère ; que souhaiteriez-
vous ?

— *Eggs and bacon,* réponds-je en français courant, plus un pot de café noir ; c'est possible ?

— Oui, monsieur.

Je raccroche et saute du plumard pour aller
ouvrir les fenêtres en grand.

Féerique.

Depuis ma couche palanquine, j'aperçois le palmier, la fontaine et surtout le ciel bleu drapeau qu'un pet d'avion barre d'un trait blanc.

Une seconde, je repense au toubib chinetoque qui commence à joindre ses composants chimiques au compost du jardin. Je ne m'en suis pas trop mal sorti. Ç'aurait pu être d'une pireté absolue. Cela dit, je ne saurai jamais quel traité d'alliance le doc voulait me proposer. Mon astuce a été d'agir avant de discutailler.

Toc toc !

Entrez !

Magine-toi qu'apparaît une exquise femme de chambre ibérique. Ravissante ! La mère Adjani avant sa ménopause !

Pas de moustache, non plus que d'astrakan aux jambes. Raie médiane pour madone de semaine sainte sévillane. Yeux myosotis. Sourires juteux. Le frifri adorable selon mes estimances d'amateur éclairé.

Elle coltine un plateau à pieds. Dessus : mes œufs frits avec suffisamment de bacon pour nourrir la garde privée de la gouine d'Angleterre et du Pas-de-Calais. Plus des petits pains, de la marmelade, des croissants. Tout ça chaud, odorant, croustillant, crépitant.

La môme s'apprête à déposer son plateau par-dessus mes cannes, mais je lui demande un temps mort pour cause d'érection instantanée. Mon chibre qui vient d'un seul coup d'un seul de se transformer en dangereux agitateur déséquilibrerait la petite table. Pour le faire tenir tranquille, je le courbe d'un violent effort et le bloque entre mes jambes.

— Allez-y, petite chérie ; maintenant ça devrait pouvoir jouer.

Pas bégueule pour une Espanche catholique jusqu'au bout de la ficelle de son Tampax, elle installe mon bouffement sur mes guitares en s'arrangeant pour caresser du tranchant de sa droite les cytoplasmes de mes génitoires en flaque.

— Comment vous appelez-vous, ma jolie ?

— Pilar.

Alors moi, mutin comme tout, de lui demander en français :

— Tu aimerais que je te présente mon pilon, Pilar ?

Tu sais quoi ?

— Pourquoi pas ? qu'elle charcotise.

Un instant, devant l'affluence impétueuse de ma sève à laquelle se joignent mes meilleurs sentiments d'altruisme, j'hésite à évacuer le plateau pour qu'elle prenne sa place. Et puis ma prudence rentre au bercail.

— Vous parlez français ? lui demandé-je-t-il.

— Ma mère est lyonnaise. J'ai habité la Croix-Rousse jusqu'à ma première communion.

Soudain, je me traite d'enfoiré décadent en constatant que je cause un franchouille parfait (juste Jean Dutourd qui y trouverait à redire, puriste jusqu'au bout de la bite comme tu le sais !). Or, je suis censé être roumain, mec. Je veux bien que les gars de ce pays latin emploient volontiers (et aisément) notre dialecte, mais de là à faire des effets de style, y a de la houle ! Alors, vite fait, je reviens à mon anglais de conseil d'administration :

— Il y a longtemps que vous travaillez au palais ?

— Deux mois.

— Ça vous plaît ?

— Beaucoup.

— Il est gentil, le prince ?

— Ça va.

Pas se mouiller. Les tantes doivent pas la fasciner, Pilar.

— Vous avez affaire à sa collaboratrice, miss Shéhérazade ?

— Elle dirige la maison.

— Vos relations sont bonnes ?

— Excellentes.

— Blint et Howard ?

— Je les vois de temps en temps.

Moi, je sais lire dans les yeux, les âmes et le marc de caoua.

— Vous faites l'amour avec eux, n'est-ce pas ?

— Comment le savez-vous ?

— Mon petit doigt...

Elle a un sourire gêné. Une rougeur naît sur son cou, qui rapidement se dissipe.

J'insiste :

— Ils ne sont pas très gentils ?

— Ils me font mal.

— Seulement c'est prévu dans vos prestations, hein ? Assurer le repos des guerriers. On vous paie cher, au moins ?

— Ça va.

En somme, son rôle ici consiste à aider au service et à éponger les mâles en rut.

Au palais, tout fonctionne en circuit fermé. Voilà pourquoi, en m'amenant le breakfast, elle était toute prête à m'échancrer le matin triomphal si j'en avais eu envie.

Adorable petite pute ! Pute presque ado. Fille soumise à la naissance en ces temps difficiles de chômedu et de vaches étiques.

— Vous n'avez plus votre mère ?

— Comment le savez-vous ?

Qu'est-ce que tu veux que je lui réponde ? Que la vie ça se renifle quand on n'a pas le nez bouché ?

Elle s'envole après un long regard mi-triste, mi-intrigué.

« Que Dieu te garde, petite fille. »

Mes œufs frits commencent gentiment à se refroidir et le bacon à se figer dans sa graisse. Je clape le tout néanmoins, et de bon appétit. Manger, c'est l'idée qu'on s'en fait. Moi, de temps à autre, je dîne chez le grand Paul (1) pour remettre mon estomac à l'heure ; cela dit, je suis cap' de m'organiser des boufferies à la va-comme-je-te-défèque, n'importe où. M'arrive d'absorber du pain beurré avec des harengs pommes à l'huile en guise de déjeuner : le casse-graine de voyou, on appelle. Quand t'as vraiment les crochets, il n'existe rien de meilleur, pour peu que le *bread* soit chaud.

J'achève d'écluser mon café lorsque miss Shéhérazade vient me visiter, loquée à l'européenne. *Very* élégante dans son futal de soie noire et son chemi-

---

(1) Paul Bocuse, évidemment.

sier fuchsia. Elle porte un collier de chien en or, à grosses mailles et s'est aspergée d'un parfum un peu trop obsédant pour le trépané de l'olfactif que je suis.

Paraît préoccupée. Ne répond pas à mon salut joyeux, encore moins à mon sourire.

Elle demande d'un ton comme ci, comme ça :

— Vous vous êtes promené dans la maison, cette nuit ?

Moi, avec la conscience plus immaculée qu'une hermine ayant hiberné chez un teinturier :

— Pas le moins du monde ; quelle idée ?

— Quelqu'un a mis en panne le circuit de surveillance de la maison.

— Et vous me soupçonnez ? me récrié-je avec un tel accent de sincérité qu'en comparaison l'accent britannique de la mère Di ressemble à du sourd-muet.

Et d'ajouter :

— J'ignorais que le palais en fût équipé. Et même si je l'avais su, dans quel but l'aurais-je neutralisé ?

Mais la jolie poulette reste dans la scepticité.

— Un autre fait singulier, reprend-elle.

J'attends. Je devine. Elle dit :

— Le docteur Ti-Pol a disparu.

Tu verrais ton Antonio idolâtré, comme il reste marmoréen, Adrien !

Je feins le s'enfoutisme absolu. M'abstiens de toute réaction. Je suis censé accueillir une telle nouvelle avec indifférence, donc j'indiffère. Réprime un bâillement. Un petit, discret.

— Vous m'entendez ? me fait Shéhérazade assez rudement.

J'éclaire la pièce de mon sourire le plus printanier.

— Très bien, mais qu'y puis-je ? Il sera allé dans quelque boîte de nuit de la côte !

— Primo, ça n'est pas son genre. Secundo, s'il avait quitté la résidence, le service de surveillance en aurait été averti.

— En ce cas, c'est qu'il ne l'a pas quittée ! philosophé-je.

Un temps mort. Je pense que c'est le Jaunet qui a trafiqué le système afin qu'on ne s'aperçoive pas de sa visite chez moi. Vu qu'il est canné, le circuit vidéo est resté en rideau.

Je me questionne négligemment à propos de sa sépulture. Va-t-on le retrouver vitos ? Pas le jardinier, en tout cas, car je l'ai enfoui à une belle profondeur. A moins qu'on ne procède à des recherches en règle, il risque de virer humus, M. Butterfly.

La fille reprend :

— Donc, vous n'avez pas de ses nouvelles ?

— Je devrais ? demandé-je avec une telle candeur que Bernadette Soubirou aurait l'air d'une vieille pompeuse de chibres décatie en comparaison.

Sais-je pourquoi, je dépose ma main d'homme sur sa cuisse de femme. Illico ça frémit. Y a une chiée d'ondes sexuelles qui lui crépitent sous le derme. Elle me regarde avec des lotos instantanément cernés.

— Je croyais que les choses de la chair vous indifféraient ? qu'elle parvient à blablutier.

— *Nobody* n'est à l'abri d'une métamorphose, je coasse façon la grenouille mâle cherchant à se rendre aussi chibrée que le taureau.

Ça paraît lui suffire. Mam'zelle Shéhérazade commence à respirer à la façon d'un bateau à aubes remontant le Mississippi.

Je l'attire sur le lit pour la tirer, comme l'écrit avec beaucoup de finesse M. Maurice Schumann dans son livre. Lui dégrafe son joli bénouze qu'elle m'aide à faire glisser en trémulsant du compensateur d'expansion. Oh ! la jolie exquisement adorable petite culotte blanche bordée de dentelle saumonée ! Oh ! les délicates cuisses bronzées, si lisses que la tête pourtant veloutée de mon paf passerait pour du papier abrasif en comparaison. Faut que je goûtasse. Et vloum ! une traînée gastéropodique sur l'intérieur des jambes, depuis les genouxes jusqu'à la pelisse de sa chaglounette.

Illico, elle bieurle, la mistonne. Dans un dialecte que je pige pas, mais qui m'indique, d'après l'intonation, que je me trouve en concordance avec ses désirs.

Tiens, ça fait un sacré bout de moment que j'ai pas groumé de frifri. Moi qui m'en goinfre d'ordinaire ! Je lui débroussaille le foisonnement pour lui rétablir la raie au milieu et ma menteuse se focalise sur sa belon triple zéro (vachement développée).

Oh ! la tigresse ! Oh ! la frénétique ! Ma parole, elle va s'évanouir de *too much !* Elle griffe à pleines onglées ce qui la promiscuite : ma nuque, mes épaules, le drap. Elle émet des plaintes longues comme des mélopées à changement de vitesse. Déballe des cris inconnus dans l'espèce humaine depuis les Sarrasins. Danse si fort du bas-bide que je faille être expulsé de la menteuse.

Moi, technicien éprouvé, je lui mets le comble de ma manière habituelle : deux doigts pour salut scout dans l'escarguinche. Alors là, elle énergumène carrément. C'est Buffalo Bill qui conviendrait pour pousser le rodéo à bout. Je suis obligé de lui maintenir le dargiflard à deux mains, sinon je perds le contact.

De force, mais aussi de gré, elle fonce au panard, la Shéhérazade. C'est carrément les « Mille et Mille Nuits » que je lui bricole. Elle clameurise de manière inouïse. Je chante *Etoile des Neiges* tout en lui croûtant l'antichambre.

Elle a un soubresaut terrible de baleine harponnée. Et puis me repousse avec violence en criant :

— Non ! non ! Plus !

Je stoppe, les babines façon boxer après sa pâtée.

Puis la regarde, étendue sans culotte sur le lit, toute brouillardeuse, toute dolente, enjouissée jusqu'à l'os.

« Belle séance, Antoine ! me complimenté-je. Prestation à marquer d'une stèle commémorative. Y a des nœuds volants à qui on a flanqué la Légion d'honneur pour beaucoup moins que ça ! Cette minouchette restera comme l'une de mes grandes réussites. Elle mériterait qu'on lui consacrât un traité augmenté de planches en couleur. »

Bon, seulement c'est pas le tout. Moi j'ai un chibre à longue portée qui a besoin qu'on s'occupe de lui.

Je ramasse la sinistre de Shéhérazade pour la mettre devant le fait accompli, espérant qu'une pareille constatation va réveiller ses ardeurs momentanément calmées et l'induire à une nouvelle prestation de gala.

Au lieu de ça, tu sais quoi ?

Elle rouvre les yeux, se dresse sur un coude, et me lance d'un ton morbide :

— Jamais un homme ne m'a fait ce que vous venez de me faire. Un jour, je vous tuerai !

Tu vois, la chiasse avec les femmes, c'est qu'elles sont imprévisibles !

7

IL PREND DU ROND, GASTON.

Une porte qui ne ferme pas à clé présente un grave inconvénient : n'importe qui peut entrer chez toi. Par contre elle offre un avantage indiscutable : tu peux sortir de la pièce quand ça te chante.

Et c'est bien ce que je fais, une fois mon bain pris et enfilée ma tenue de gentleman farmer : futal blanc, polo bleu, mocassins de cuir souple.

Je me hasarde hors de la chambre. Faut bien la « libérer », comme on dit puis dans les hôtels, pour que les larbins fourbisseurs viennent lui redonner l'éclat du neuf. Je m'emporte en direction du hall éblouissant de lumière.

Des esclaves en gilet rayé passent l'appareil à rendre *clean* les sols carrelés, avec des allures de détecteurs de mines. Je marche le long des fenêtres, pas perturber leur dangereuse activité, et sors sur le pet rond que n'importe quelle littérateuse aux prises avec sa salpingite déclarerait « inondé de soleil ».

Féerique !

Un parc immense sillonné d'allées roses, des pelouses dont l'herbe est égalisée aux ciseaux de brodeuse, des arbres aux essences rarissimes. Des massifs dont les fleurs sublimes te donnent envie de faire pipi tant tellement elles sont belles ! Un temple d'amour en richepin de la Saint-Jean. Qu'on aperçoit même, dans les lointains, un hameau, façon Marie-en-Toilette (Béru dixit), avec des fausses vaches pour décorer. La classe sur toute la ligne !

Je vais, au gré de ma fantaisie, l'air vibrionne d'insectes délimités de qualité supérieure. Marche jusqu'aux tennis (quatre courts, siouplaît), déserts à cette heure chaude de la journée, et installe sur un banc cette partie de moi-même qui pourrait me servir à faire de l'équitation si je ne nourrissais une grande aversion pour le cheval, qu'il soit de course ou en steaks. La tête offerte au bourguignon, les paupières baissées, je déguste la qualité de l'instant.

C'est à une telle relaxation, ponctuant un moment périlleux de sa vie, que tu reconnaîtras l'homme fort. Est maître de son destin, celui qui l'est de ses nerfs. Je respire les capiteuses odeurs de miel et de jasmin. O nature, comment peut-on s'éloigner de toi pour s'aller enfermer sous la coupole du quai Conti, dans le silence capitonné d'une banque ou encore dans les remugles d'huile chaude d'une usine ? Ici tout est beauté, machinchouette et volupté, a écrit LE poète qui s'y croyait.

— Vous n'avez pas peur du soleil ? murmure à promiscuité une voix féminine.

Je dépone mes falots.

« Vache ! La jolie personne ! » m'exclamé-je en apartheid. La trente-cinquaine. Le regard bleu.

« Une blondeur à nulle autre pareille », dirait un éboueur maghrébin de mes relations. Une exquise poitrine dont le décolleté carré de sa robe de lin blanc ne fait pas grand mystère. Un bronzage délicat... L'enchantement vivant de cette journée, si tu voudrais mon avis ! De la personne D.Q.S. Qu'est-ce qui peut justifier sa présence dans ce palais des mille et un ennuis ?

Je lui décerne le sourire du siècle, comme il n'y en eut jamais en Andalousie depuis l'invasion arbie. Car enfin, cette femme si claire ne saurait être la parente du prince oriental, non plus que sa souris, vu qu'il est pédoque.

Je note que son anglais est moins performant que celui de la duchesse de Kent. Je la situerais du nord de l'Europe, ou de l'est ; un truc comme ça. N'en tout cas, je continue d'en morfler plein les mirettes. Ce qui me bouleverse le plus, c'est son air plein de grâce, de joliesse et de tout ce que voudras pourvu que ça humecte le bout du gland.

Elle se tient à deux pas de moi, debout. Est-ce elle qui sent si bon, ou bien la nature exaltée par sa présence ?

— Je n'ai que cette moitié de banc à vous proposer, lui dis-je. Si le cœur vous chante...

Elle avance et se dépose à mon côté. Quand elle est assise, j'ai une vue de premier plan sur ses loloches ! Jolie poitrinaire. C'est pas la super-laiterie de coopérative, mais elle en possède deux chouettes en compagnie desquels je passerais volontiers les vacances pascales.

— Vous habitez le palais ? je questionne, simplement pour amorcer un brin de converse de manière classique et cohérente.

— Pour le moment, oui.

— Vous êtes une amie du prince ?

— C'est un terme excessif, bien qu'il me témoigne de la sympathie, répond-elle. Je l'aide à rédiger ses mémoires.

Ça m'échappe :

— Il en a ?

Elle amorce un joli sourire que je lui mangerais extrêmement volontiers tout cru.

— Il en a, assure-t-elle, et d'intéressants ; le prince mène une vie mouvementée.

— Si je vous disais que j'ignore son nom ?

Elle me défrime d'un œil indécis, se demandant si je me paie son minois ou si Descartes se faisait sucer par la princesse Elisabeth.

— Mais à quel titre vous trouvez-vous dans ce palais ? ne peut-elle s'empêcher de questionner.

— En qualité d'enquêteur pour une affaire d'ordre privé. J'ai été engagé par quelqu'un qui n'a jamais mentionné que je dusse œuvrer pour un monarque. On ne m'a parlé de « prince » qu'à mon arrivée, sans user d'un autre vocable. Quel est le nom de celui-ci ?

— Soliman Draggor. Il règne sur l'émirat de Razmamoul.

— Ça sent bon le pétrole.

— Détrompez-vous, ses gisements se tarissent.

— Il lui en reste suffisamment pour faire le plein de sa Rolls, j'espère ?

— Sans doute.

— Cette fastueuse demeure le donnerait à penser ; à moins qu'il ne la loue pour ses vacances ?

— Non, non : elle est bien à lui, ainsi que nombre d'autres propriétés disséminées sur la planète.

— Vous n'êtes pas britannique ?

— Non.

— Scandinave ?

— Non plus.

— Attendez, fais-je en fermant les yeux. Parlez encore, je vais trouver ; habituellement, je mets dans le mille.

— Que faut-il vous dire ?

— N'importe le sujet, par exemple me trouvez-vous à votre convenance ?

— C'est le genre de question qui, loin de me faire parler, m'inciterait plutôt au silence, assure-t-elle avec un rire que, si j'écrivais classique, je qualifierais de cristallin.

— Je sais ! exulté-je. Vous êtes polonaise !

— Vous avez gagné.

On cause.

Elle m'explique comme quoi son *father* était diplomate. Elle a vécu sa jeunesse dans des ambassades polacks (pas les plus huppées) en Hongrie, au Danemark et en Angleterre. Ses diplômes ramassés, elle a gratté pour un journal londonien, puis à la B.B.C. C'est là qu'elle a fait la connaissance du prince Draggor venu participer à une émission sur les pays du Golfe. Il a été emballé par elle et l'a conviée à dîner.

— Je vois bien que votre charme est très puissant, fais-je-t-il ; la preuve est qu'il opère sur un homo !

Ça lui échappe :

— Il n'est pas qu'homosexuel.

Et puis elle rougit, ce qui m'incite à considérer que ce monarque de mes magnifiques bourses doit se la respirer entre deux transports homosexuens.

Je gronde :

— J'ose espérer que si vous avez des bontés pour le gars Soliman, vous prenez d'élémentaires précautions.

Sa rougeur s'accentue.

— Vous vous méprenez, il...

— Il quoi, mon petit cœur ?

Elle se ferme comme une huître que tu regardes trop longtemps les yeux dans les yeux.

— Rien ! J'aimerais changer de sujet.

— A votre disposition. Vous pourriez m'indiquer votre prénom, par exemple ? Moi, c'est Gheorghiu.

— Je m'appelle Krystyna.

— Je suis preneur.

On se tait en voyant, là-bas, déboucher Sa Majesté sur le perron. Il est escorté de son giton, lequel tient en laisse un de ces horribles chiens qui paraissent n'avoir ni commencement ni fin et dont Jean-Paul Belmondo se sert comme moufle.

Blint et Howard les attendent près de la Rosse-Roll et leur ouvrent les portières. N'après que le couple y a pris place, le carrosse à pédales s'ébranle, si j'ose m'exprimer trivialement, et roule pesamment jusqu'au portail automatique.

Soudain, de voir disparaître le quatuor, me met en euphorie.

Tu sais ? Ce goût de la malfaisance qu'éprouvent les enfants brusquement livrés à eux-mêmes.

— Il commence à faire très chaud, dis-je, pourquoi n'irions-nous pas prendre un bain ? Je dispose d'une piscinette dont l'eau est presque aussi limpide que votre regard.

Krystyna ne se fait pas prier, preuve qu'elle est nullement bégueule.

Elle me rejoint, drapée dans un peignoir de bain et chaussée de spartiates.

On fait trempette.

Elle a un corps qui damnerait un saint castré. Jeux d'eau. Eclaboussage mutin ! Petits rires ! Glousseries ! Cette gosse me cause un effet que je réprime de mon mieux, car la liaison que je lui suppose avec le prince m'inquiète. Par les temps qui cavalent, il n'est pas sain de mouiller sa biscotte dans la tasse dont se sert un aficionado de l'œil de bronze. N'empêche (comme dit Melba), que je me coltine un chibraque qui me ferait passer pour un hallebardier si je me loquais en garde pontifical.

L'idée que cette adorable petite Polack a probablement éponge Sa Princerie pédalante me transforme le mental en désastre de Pavie. Alors je lui propose un bain de soleil.

Nous voici allongés sur deux fauteuils contigus. Ma dextre incorrigible ne peut s'empêcher de caresser sa chicorée frisée à travers son maillot.

— Vous ne devriez pas me faire ça, balbutie la chaste jeune femme d'un ton prêt aux délires fous.

Que pour toute réponse, j'écarquille l'étoffe pour établir une communication plus harmonieuse entre mon médius et mon index unis et sa figounette juteuse.

Elle me parle soudain à voix basse :

— Je ne veux pas que vous vous mépreniez : nous n'avons aucun rapport sexuel, le prince et moi. Simplement, il me demande de le fouetter pendant qu'il copule avec son ami.

— Si on ne se rendait pas ce genre de menu service de temps en temps, l'existence deviendrait rapidement insipide, fais-je.

Elle saisit mon poignet afin de démotter ma paluche friponne.

— Je devine combien un tel aveu doit vous choquer, fait-elle. Si je vous disais que j'y ai été contrainte, me croiriez-vous ?

— Racontez !

— Soliman Draggor est un tyran à ses heures.

— Je n'ai pas besoin de me forcer pour vous croire.

— Il sait être gentil, voire d'une générosité folle, seulement il a des caprices qu'il assume coûte que coûte.

— Vous voulez dire : qu'il contraint les autres à assumer ?

— Quand il exige quelque chose, il faut qu'il l'obtienne, sinon il deviendrait dangereux.

— Et vous vivez chez un homme pareil !

Elle hausse les épaules. Quelque chose qui ressemble à des larmes retenues voile son regard pervenche.

— Les conditions financières qu'il me consent sont inespérées ; or mon père vit en milieu hospitalier à la suite d'une hémiplégie. Depuis le changement de régime, ils sont sans ressources, ma mère et lui.

Bon, ça tourne à *L'Hirondelle du Faubourg* mâtinée *Porteuse de pain,* son histoire, à la gentille Polack.

— Je comprends, brisé-je là.

Ce que je vois dans son aventure, c'est qu'elle n'a pas de raisons particulières de propager le méchant virus, cette Ophélie des Carpates.

Je vais pour lui fureter l'entre-deux, mais le charme est rompu pour elle. Les nières, c'est commak. Suffit d'une mouche à merde pour leur cisailler l'ambiance. J'insiste pas. Quand une frangine rétice pour la tringlette, inutile de vouloir la chambrer avant d'avoir rétabli le contact. Ce sont des maniérées de la moulasse.

Elle rêvasse un bout puis, soudain :

— Vous n'entendez rien, la nuit ?

— Je ne suis ici que depuis hier ; pourquoi cette question ?

— Parce que très souvent, je crois percevoir des gémissements.

— Le giton du prince qui subit ses assauts ? suggéré-je.

J'ajoute pas que l'Arbi doit être chibré féroce et déchirer les paupières sud de son éphèbe par trop de fougue bestiale.

Elle ne semble pas adopter mon hypothèse et hoche la tête (ce ne serait pas correct qu'elle branlât le chef).

— Les appartements de Monseigneur sont très loin de ma chambre.

Je mords illico l'embellie :

— J'aimerais me rendre compte par moi-même. Me permettez-vous d'aller écouter cette nuit, depuis chez vous ?

Elle n'hésite pas :

— Volontiers, car la chose m'intrigue et même m'inquiète. Mais inutile de venir avant une heure, ces plaintes sont très tardives.

— Votre heure sera la mienne, ma belle âme.

— Soyez discret.

Promis, juré.

Krystyna paraît ignorer qu'un système de téloche intérieur rend compte des déplacements dans le palais.

Elle se retire bientôt, légère comme la conscience professionnelle d'un marchand de voitures d'occasion.

8

ELLE A DE LA VEINE, GERMAINE.

Le soir venu, dîner aux chandelles en compagnie du prince, de son minouchet, de Krystyna et de Shéhérazade. Ces dadames sont loquées en robe du soir. La blonde porte une robe fourreau en soie sauvage noire, la brune un bustier perlé et une jupe en voile transparent, l'ensemble dans les dominantes roses. Le maître de céans et sa frappe portent le smok. N'ayant pas été averti que j'aurais à participer à des repas « habillés », je n'ai à me cloquer sur le fion qu'un bleu croisé ; mais avec une limouille blanche et une cravetouze marine, j'en vois la farce !

Le repas est gai (et *gay*). Sa Majesté plaisante beaucoup, avec assez d'humour. Au menu, y a des grosses huîtres d'Espagne, servies sur un lit de caviar et accompagnées de blinis à la crème (bonjour les dégâts pondéraux), avec, pour suivre, des pigeons à la menthe ; le dessert se compose d'un édifice coloré, bourré de miel, de frangipane et autres fruits confits. Le gazier qui se farcit deux fois par jour d'aussi riches nourritures est certain d'obtenir en un temps record des taux historiques de cholestérol. J'admire les deux gonzesses, stoïques, qui s'enquillent cette boufferie sans broncher. M'est avis qu'elles doivent cavaler au refile tout de suite après le repas.

L'Arabe que j'ai impétueusement dégustée ne m'accorde pas le moindre regard. Cette garce est plutôt particulière dans son genre. Elle me viole pratiquement et, sitôt son panard chopé, nous pique une crise de conscience sans merci. Faut dire que c'est ma pratique de la minette chantée qui l'a révulsée ; une fois partie à dame, emportée par ses sens, la donzelle m'a voué une haine qui ne s'éteindra qu'après mon décès (auquel elle pense jusqu'à l'obnubilation).

A table, on boit du champagne pour tout breuvage ; comme il est délicieux, je me laisse aller à l'euphorie malgré ma dilection pour le vin rouge.

Pendant une partie du repas, la converse roule sur la Formule I et, pour la première fois, le minet du prince tient le crachoir. Un passionné ! Il sait tout des marques, des équipes, des coureurs.

— J'aime quand tu t'animes, lui déclare Sa Majesté, attendrie ; tu deviens alors suprêmement beau, mon doux chérubin. Suce-moi !

Le gars a de la carrure et une belle gueule. Sans hésiter, il recule son siège et se laisse couler sous la table. Le maître des lieux se dégrafe avec prestesse afin de faciliter l'accès de son pénis à ce cher jeune homme. Aussitôt, il reprend la conversation de son ton urbain et orbain sans marquer la moindre émotion. La manœuvre sous-tablesque ne semble pas le gêner le moins du monde. Sa conversation n'en est nullement altérée.

Cette fantaisie doit être courante au palais car ces dames n'y prêtent pas attention bien que le giton produise, à déguster la partie la plus noble de Sa Majesté, un bruit patouilleur évoquant une chasse au canard dans le Marais poitevin.

Ayant abandonné le chapitre de la Formule I, Soliman Draggor passe à la Coupe du Monde de foot-ball qui va avoir lieu d'ici quelques mois, car le prince est épris de sport et se montre éclectique dans ses engouements.

A un moment donné, comme il ne retrouve pas le nom d'un joueur africain déjà réputé, il se penche pour le demander à son turluteur.

On entend proférer plusieurs syllabes bien équipées en « a » et en « o » mais peu distinctes car il est malaisé de jacter la bouche pleine.

Cela suffit cependant à rafraîchir la mémoire de Sa Seigneurie.

— Oh ! oui ; Bamakoko ! fait-elle. Merci, mon bijou.

Qu'on le voudra ou non, les grands de ce monde conservent leur classe en toutes circonstances. Je vois, dans le cas présent, il est difficile de connaître l'instant où notre hôte procède à son lâcher de ballons. Il demeure disert, enjoué ; conserve un ton uni, un vocabulaire exemplaire. Simplement, lorsqu'il évoque cette partie du Mondial au cours de laquelle son cousin l'émir du Glave Tubar descendit sur le terrain pour invectiver l'arbitre, on dis-

tingue une fugace crispation de ses traits, accom-
pagnée d'une pâleur vasculaire.

Sous la table, son commensal laisse échapper un
grognement glouton. L'éphèbe réapparaît bientôt,
l'air radieux et reprend sa place à table où l'attend
une belle part de gâteau qui lui a été servie au cours
de sa manigance souterraine.

— Qu'est-ce que je vois ! De la frangipane !
s'écrie le chérubin. J'adore !

Et il se met à dévorer l'édifice de sucrerie sous
le regard mi-attendri, mi-reconnaissant de son pro-
tecteur.

Charmante soirée, *indeed !* Si la Shéhérazade me
fait la gueule, par contre la jolie Krystyna me couve
d'un regard d'ange prêt à déchoir. Je me love par
la pensée dans ses yeux si chargés de douces promesses, comme un chat s'enroule sur la rive brû-
lante de l'âtre.

Et pourtant !

Pourtant, l'esprit du grand Santonio a passé la
surmultipliée, espère. Pas un instant de répit, le
Vaillant ! Ça s'est organisé au poil dans sa caberle.
Nous autres, gens d'action, ne cessons de phospho-
rer que *lorsque la tombe enfin a fermé nos paupières,* comme l'écrit si joliment Hugo dans « Le
Cachepot à glissière ».

Mine de tout, j'ai dûment examiné les lieux, noté
les embûches, défini le moyen de les esquiver. Et
tout cela mollo, sans excitation, en mec très totalement serein.

Nous passons au salon violet pour le café.
Immense pièce gerbante, avec des tentures épisco-
pales et des meubles Louis XIV.

Dès lors, une étrange apathie nous choit sur les endosses.

Nous monosyllabons du bout des chailles. Le prince qui a découillé pendant le repas, semble avoir sommeil.

Fectivement, après une succession de rots pleins de véhémence et d'autorité, il déclare que l'heure du coucouche-panier est venue.

— Cher Tiarko, fait-il avant de se retirer, je vous attendrai demain matin dans mon cabinet de travail, car il est grand temps de mettre au point l'opération que vous savez.

Il imprime dans l'air un geste bénisseur. Je me retiens de me signer. Une traînée de foutre escarguinche son pantalon de smok, mais c'est pas grave car il doit en posséder d'autres.

9

IL EST PAS CON, EDMOND.

Je t'ai informé qu'au cours de ce repas singulier j'ai échafaudé des plans. Ceux-ci ont trait à la façon de me déplacer nuitamment dans les couloirs du palais sans me laisser retapisser par les caméras.

Il m'a fallu beaucoup puiser dans mon cerveau gradué (1) pour parvenir à trouver la parade contre cette nuisance de la vidéo intérieure. Mais le Seigneur, auquel je rendrai grâce pendant une bonne éternité, m'a doté d'une imagination en comparaison de laquelle celle que tu déploies pour justifier auprès de ton épouse des traces de rouge à lèvres sur ton slip n'est que délirade de vieillard incontinent.

Le physicien que je n'ai jamais été se révèle en moive. Je calcule, élabore, détermine. Ma cervelle se fait légère comme cette mousse abjecte que certains pâtissiers sans vergogne répandent sur des

_____

(1) Pourquoi « cerveau gradué » ? Un mystère san-antonien de plus. Ce remarquable auteur n'a pas fini de nous déconcerter.

Jean d'Ormesson

gâteaux, histoire de leur conférer une fausse importance.

De retour dans ma chambre, je me mets au turbot, au turbin, au turbotin. Pour la réalisation de mon plan d'épargne-logement, me faut un miroir un peu plus surfacé que l'objectif de prise de vue. Je l'ai en la personne, si je puis dire, de la glace encastrée dans le couvercle de mon étui à rasoir.

N'ensute j'ai besoin d'une perche de deux mètres cinquante, et ça c'est une autre paire de manches à couilles !

J'ai beau examiner mon chez moi, je n'ai à dispose que des tringles à rideaux d'un mètre quatrevingts. C'est le hic, tu conviens ? Que faire ? En mec pondéré je passe dans le patio pour y quêter l'inspirance. La trouve en manquant me foutre la hure au sol. Tu sais pourquoi ? Parce que je me suis empiagé (comme on dit en bas-dauphiné) dans les ustensiles de piscaille dont parmi lesquels figure une épuisette destinée à son nettoiement. Le manche de l'engin mesure un peu plus de deux mètres cinquante. Un rêve ! Me faut pas lerchouille de temps pour enlever le filet de ramassage. Un peu davantage pour parvenir à fixer mon miroir à son extrémité.

Il est bon pour le service actif, le Fameux.

Je regarde l'heure : minuit va bientôt sonner au beffroi de ma Pasha. J'ai le temps.

Allongé sur mon plumard, je laisse filocher les minutes irrattrapables de ma vie, qui coïncident avec celles de la tienne, ne l'oublie jamais.

Tout est silencieux dans le palais. Ne doit rester en activité que le préposé au service de surveillance, lequel, selon moi en qui j'ai toute confiance, ne doit veiller que d'un cil.

Quand le moment propice (et non chaudepisse, comme dit Béru) me semble arrivé, je vais flouter une œillerie dans le couloir. Celui-ci n'est « couvert » que par une seule caméra, ce qui est suffisant car elle est pivotante et balaie très lentement sa zone de moucharderie.

Regarde la bizarrerie des choses : mon plan n'est réalisable précisément que parce qu'elle est sophistiquée, c'est-à-dire tournante. En fonctionnant de la sorte, elle laisse des temps morts dans certaines parties échappant provisoirement à son contrôle.

Tu piges ou si je te laisse prendre tes pilules à base de phosphore avant de poursuiter ? Non, ça joue ? Tu te sens apte ? Tu dédébiles ? Parfait (en anglais *perfect ;* je saupoudre de mots *english* pour essayer de me souvenir que l'Angleterre existe).

Pour t'en revenir, Casimir, lorsque la minuscule caméra panoramique est braquée dans la partie du couloir opposée à celle où je me tiens, je lui suis naturellement invisible. Le danger c'est quand, son quatre-vingt-dix degrés opéré, elle repart en sens contraire.

Depuis ma lourde, le regard en chanfrein, je guette son mouvement régulier. Attends qu'elle couvre la section où je me tiens, me planque chez moi lorsqu'elle va me cueillir, compte posément jusqu'à six, puis me risque.

Ça y est, l'instrument a recommencé de balayer à l'envers. Alors je m'élance, mon périscope en main. J'atteins la base de l'objectif avant qu'il ait exécuté son retour et brandis ma canne munie du

miroir de façon, non à l'obturer (pas bête, je tiens
la glace de biais), mais à remplacer la vision logique
qu'il devrait capter par une vue « arrière » du couloir où je ne figure pas.

Comprends-tu-t-il, Achille ? Non ? Tant pis,
sache simplement que ce procédé ingénieux...

Qui vient de rectifier en criant « Non ! génial » ?
C'est vous, madame ? Merci ! Vous êtes une
connaisseuse ! Je suis ravi de voir que les personnes
du sexe n'apprécient pas seulement le mien, mais
aussi la vaste intelligence qui l'enveloppe.

Où en jetais-je ? Oui : je viens de franchir l'obs-
tacle de la première caméra, sans chaussures ni
encombre. File, *now,* à l'angle du couloir. Il y en a
une autre qui, grâce à quelque complicité occulte
est en train d'explorer la partie où je ne suis pas.
Ma pomme, déjà expert en la matière, de réitérer
l'opé. Banco. Ça passe. N'à présent, me reste plus
qu'une sixaine de mètres à franchir pour atteindre
la chambre de la délicieuse polka polack.

Toc toc ! Loup y es-tu ? M'entends-tu ? Que fais-
tu ? Rien puisqu'il m'attendait. Déponade immédiate. Je titube en trouvant la sublime en robe de
notte arachnéenne, presque transparente, si tu
verrais où je veuille en viendre. Ne porte même pas
de slip en dessous ; que tu lui visionnes la Sainte-
Chapelle directo. Malgré l'ombre inhérente au
vêtement nuiteux, je suis prêt à jurer sur le *Kāma-
sūtra* que Krystyna est blonde comme un Van
Gogh. Même que sa moustache pubienne doit briller comme de l'or sous les Mazda.

— Personne ne vous a vu ? demanda-t-elle ingé-
nument.

— Soyez sans crainte.

Elle en est soulagée. Alors, mécolle, je vais pousser un fauteuil contre sa porte, manière de pas être importuné brutalement. Tout de suite après, je la biche dans mes bras et c'est notre premier baiser-passion à injection directe. Mufle à mufle ! T'as déjà, quand t'étais chiare, fait un nœud à une queue de cerise placée dans ta bouche ? J'exécute le même numéro, mais avec sa menteuse. On en perd le souffle de se brouter la voie express.

Ma pomme, tu verrais la bannière que je me biche ! J'accrocherais mon slip au bout, tu me prendrais pour un porte-drapeau ! Elle vasibule du compensateur en sentant dodeliner ma rapière contre son confluent. Moi, parti à outrance, je cesse de lui croquer la menteuse et la fait pirouetter de manière à la situer dos à moi. Fiévreusement, je remonte l'arrière de sa roupane afin d'engager ma tête chercheuse par l'entrée des artistes. Ça l'émeut si vachement qu'elle mugit.

Chut !

Pas le moment d'alerter la garde prétorienne du prince. Réduis la pression, mon Tonio.

Seulement, la sœur est partie pour sa croisière de la gigue. Elle a déjà plaqué ses pattounes sur ses genoux, les rotules desdits empêchent ses mains de glisser.

Très vite, le chemin de Damas devient le boulevard des voluptés à la façon qu'elle sécrétionne d'abondance. Je lui langoure le prose en ponctuant de caresses veloutées sur les strapontins. En douceur ! Faut jamais décarrer à fond la caisse, sinon tu lui grabuges le sensoriel, Daniel. Je lui amorce un pas de deux dans la giberne. Elle ponctue d'arabesques séditieuses. La montée des périls, Emile ! On poursuit de la sorte le long du précipice des voluptés.

L'exquise jeune femme souffre mille maux de ne pouvoir laisser éclater sa joie triomphale. Elle réprime du mieux, s'en tire par des gémissements rauques, des soupirs à fendre des bûches, des pleurs de souffrance radieuse. Tu veux mon avis ? Elle jouit par acomptes successifs. Menus lâchers températeurs. Verse des provisions sur le fade géant qui se prépare.

Ma pomme je me sens un pilon comme jamais. La seule différence existant présentement entre une enclume et ma bite, c'est qu'une enclume n'a pas le goût de foutre.

Au bout d'un temps d'ardeur appliquée, lente et pénétrante, je regrette de ne pas avoir consulté ma tocante au départ ; j'eusse aimé chronométrer notre étreinte car elle va vers une durée de haute compétition. Rarement emplâtrage fut aussi bien « organisé », kif une expédition dans l'Antarctique. J'ai le noyau dur de l'atome à toute épreuve, *to day*. Avec du répondant à m'en craquer les bourses. La Krystyna, j'ai pigé sa perdurance, elle s'en sort, n'au point de vue fade, avec des petits spasmes, je croive te l'avoir signalé un peu avant ? Va vérifier, je t'attends là.

Oui, hein ! Y m'semblait. Je pourrais la tringloter de la sorte jusqu'au chant du coq. Seulement voilà. Un bruit auquel je ne pensais plus, bien que je sois venu pour l'écouter, retentit. Dès lors je stoppe la roue à aubes de mon steamer. Ma fiancée a perçu également mais, davantage maîtresse de moi que d'elle-même, continue de courir sur son fade en m'appréhendant des miches.

— Vous entendez ? chuchote-t-elle alors.

— Oui, cloaqué-je.

Le bruit se répète à intervalles inégaux. Il me fait songer aux plaintes des trépassés dans un film sur les morts-vivants.

Je m'approche du conduit en relief servant pour l'aération d'un local probablement souterrain, y plaque l'oreille tandis que mon superbe zob, éclatant de santé et verni par l'amour, semble battre la mesure du *Vaisseau fantôme*. Je poireaute plusieurs minutes ainsi. Le silence est revenu.

Comme je vais m'emporter, une plainte se reproduit. Car, pas d'erreur, c'est bel et bien d'un gémissement qu'il s'agit.

Je pourrais te dire que mon sang se glace ou, mieux encore : qu'il ne fait qu'un tour.

Eh bien non, mon amour, je resterai sobre.

Je me tétanise, comme on écrit dans les romans que tu tiens de la main dont tu te torches le cul.

10

T'AS DES VARICES, ALICE.

— Vous entendez? murmutie de nouveau la pauvrette dont la figue ne s'est pas encore refermée, si tellement je lui ai cigogné le grand collecteur.

Question superflue car toute mon attitude lui indique que oui.

Désormais, je n'ai plus qu'un désir en tête : découvrir l'origine de ce bruitage pour film d'horreur.

Mais comment ?

Je m'agenouille sur le plancher et écoute derechef. Je te parie les chaussettes d'Alexandre-Benoît Bérurier contre un morceau de Munster que l'auteur de ces gémissements se trouve au sous-sol.

Perplexe, je visionne ma bite. Tiens, ça y est : elle fait enfin relâche et a retrouvé l'aspect qui est le sien dans les réceptions officielles.

Je m'emmène avec moi jusqu'à la plus proche fenêtre que j'ouvre et d'où je me penche pour sonder le parc planté de conifères. S'agit de dresser un

repérage topographique afin de m'orienter par la
suite. Il y a une statue, à gauche, représentant Zeus
en train de jouer au ping-pong, un buis taillé en
forme de bouteille à droite. Plus, pile sous moi, un
énorme massif de flatulents convertibles à feuilles
dégradées dont les fleurs pourpres me rappellent
le ruban que mes potes Robert Hossein, Guy Bedos
et Pierre Perret (entre z'autres) ont le devoir
d'arborer à leur boutonnière pour cause de sexa-
génération dépassée.

Voilà, le topo est inscrit dans mon caberluche.
De jour, je n'aurai aucun mal à situer l'endroit où
passe le conduit.

Que faire d'autre, à présent ? Les gémissements
ont cessé. Je considère mélancoliquement mon sexe
qui tient compagnie à mes bourses, trio qui me
désabuse quant au devenir de l'homme.

La petite Polack semble avoir oublié sa jouisserie
survoltée de naguère. Dis donc, tu ne crois pas
qu'un sort mauvais s'acharne sur mes transports
amoureux dans ce palais de chiottes ?

— Je vais rentrer, fais-je, penaud de la laisser
quimper sans lui avoir offert l'apothéose sensorielle
que son tempérament mérite.

Elle ne proteste pas, dit :

— Que pensez-vous des plaintes que nous avons
entendues ?

Moue en issue d'œuf de l'ardent Sana.

— C'est ainsi tous les soirs ?

— Presque.

— Donc, il y a des nuits sans ?

— Peu.

— Avez-vous remarqué quelque chose de particulier dans la maison lors des périodes de silence ?

Elle réfléchit comme une glace biseautée.

— Franchement pas.

Nouveau silence. Je ne me satisfais pas de sa réponse. Fatalement, l'absence de plaintes doit correspondre à celle de « quelqu'un » du palais.

Je risque, guidé par mon instinct et mon intelligence qui sont des valeurs sûres :

— Il arrive au prince d'effectuer des voyages ?

C'est un trait de ce que tu voudras pour elle : lumière ou génie.

— Mais bien sûr ! elle exclame. On n'entend rien quand il n'est pas ici.

La chérie ! C'est beau, la Pologne, tu sais ! Le jour où le Club Méditerranée y établira une tête de pont je ne manquerai pas de lui réserver mes vacances.

Par correction et avant de me retirer, je lui demande si elle souhaite me pomper le nœud ; elle me dit que ce sera pour une autre fois « avec plaisir ».

Je me retire donc, la zézette en berne, mais l'âme en paix.

Nuit calme. Sommeil du juste.

Me réveille d'un bourdonnement d'abeille. Comme la veille, le mahomed insiste pour me rendre visite. Râteau d'or, rai oblique aux poussières tournoyantes. Dans ce pays béni d'Andalousie, c'est toute l'année l'été.

J'achève d'évacuer un reliquat de dorme par petits bâillements. Un léger bruit me sursaute.

Me détronche.

Tu sais quoi ? Le prince Soliman Draggor de Razmamoul vient de pénétrer dans ma chambre, en tenue de tennisman : short blanc, chemise Lacoste verte. Il a une serviette-éponge autour du cou pour étancher la sueur qui ruisselle de son visage.

Il s'avance vers moi, l'air préoccupé. Le tic qui contracte spasmodiquement sa bouche est plus véhément que la veille. Probablement à cause des efforts qu'il vient de fournir ?

Je dis :

— Pardonnez-moi de rester au lit, Monseigneur, mais j'ai l'habitude de dormir nu.

Il sourit torve.

— La nudité d'un mâle ne me dérange pas, bien au contraire.

Puis, sans la moindre gêne, il vient s'asseoir au bord de mon lit.

Je me sens gauche comme un puceau qui regarde sa grande cousine vaquer à ses ragnagnas. Comment faire face si le gars Soliman entreprend de me cigogner le bec verseur ? Lui cloquer un coup de boule entre les sourcils ? Ce serait risqué et ça me vaudrait probablement d'être immergé dans le détroit de Gibraltar avec un chouette lardeuss en béton.

T'heureusement, le monarque ne s'en prend pas à mes sens.

— Je suis très troublé, me dit-il. Vous savez que mon médecin personnel, le bon docteur Ti-Pol, a disparu ?

— Mlle Shéhérazade m'en a parlé, admets-je.

— Il me manque. C'est un homme plein de ressources, dont l'avis m'était précieux.

Comme quoi tout le monde peut arnaquer tout
le monde quand on sait inspirer confiance.

Et, à intelligible voix :

— Vous pensez que son absence est voulue ou
indépendante de sa volonté, Monseigneur ?

— Il n'avait aucune raison de disparaître. En
outre, la sécurité du palais n'ayant pas réagi, il est
probable qu'il est encore dans les parages.

— A-t-on fouillé les bâtiments et les communs ?

— Naturellement. Je déteste ce genre de mystère.

— Je le conçois, Monseigneur. Puis-je vous faire
une remarque ?

— Parlez !

— Vous prétendez qu'il n'avait aucune raison de
disparaître, mais en êtes-vous sûr ? Souvent, on
croit tout savoir des individus ; pourtant il arrive
qu'ils vous infligent de mauvaises surprises.
Dites-vous bien, Monseigneur, que tout fait étrange
en apparence comporte sa justification.

Le potentat de Razemamoul acquiesce sans chaleur :

— Peut-être.

— D'un moment à l'autre vous risquez d'avoir
l'explication de ce mystère, et alors il vous appa-
raîtra sous un jour nouveau.

— Vous êtes un sage, monsieur Tiarko.

— Les gens qui ont vécu des choses intenses le
deviennent fatalement.

L'illustre visiteur se prend à caresser ma jambe
à travers le drap.

— Musclé, hein ?

Je le regarde de telle sorte que, sans avoir à prononcer un long discours, il reprend sa paluche, vite fait bien fait, pour l'aller promener sur d'autres académies mieux enclines.

Peut-être est-ce une relation de cause à effet, toujours est-il qu'il demande :

— Par quel bout commencerez-vous vos recherches ?

Je dégoise, l'air d'en avoir deux (et J'EN ai deux !) :

— Je n'étais pas le seul familier des Ceauşescu ; son principal conseiller-confident était le général Gheorghi Dobroujda. C'est sans aucun doute cet officier qu'il aura mandaté pour mener les tractations concernant l'achat du trésor Izmir.

Mon ton convaincu l'impressionne.

— Vous le pensez ?

— Je ne vois que Gheorghi pour une telle mission de confiance.

— Qu'est devenu cet homme ?

— Il a échappé de justesse au peloton d'exécution et a été condamné à vingt ans de détention qu'il purge dans la forteresse Bistroka dans les Carpates ; un endroit pas trop gai.

— A-t-il droit à des visites ?

— J'ignore tout de ses conditions d'internement.

— Il va falloir s'attacher à cette question, pour commencer.

— Pas facile, Monseigneur ; je suis un exilé.

— Je vais vous procurer une fausse identité.

Il ajoute, avec un sourire fumelard :

— Une véritable fausse.

— En ce cas...

— Et puis faire modifier votre apparence de façon à ce que vous ne soyez pas reconnu. Si cet imbécile de Ti-Pol n'avait pas disparu, ce serait pour lui un jeu d'enfant ; je l'ai vu remodeler des visages de façon hallucinante.

Un froid glacial me part du cœur et dévale jusqu'à mes testicules. Dis, j'ai pas envie de me payer la frime de Dracula sous prétexte que je vais faire une virouze dans les Carpates. J'empresse de déclarer :

— Rassurez-vous, Monseigneur, mon visage n'était connu que de quelques familiers, il me suffira de laisser pousser barbe et moustache pour ne courir aucun risque.

— Tant mieux. Huit jours suffiront ?

— Pour que mon aspect soit différent ? Certainement. Je ne veux pas utiliser des postiches qui en fin de compte ne trompent personne. En attendant, auriez-vous quelqu'un d'habile pour aller reconnaître les lieux et s'enquérir de la fiabilité de cette forteresse, de façon à ce que je me fasse remarquer le moins possible quand j'arriverai à pied d'œuvre ?

— Blint et Howard sont malins comme des singes.

— Seulement ils ne parlent pas le roumain...

— Le dollar est un espéranto, rétorque Soliman Draggor. Notez les indications que vous venez d'évoquer afin que je puisse mettre sur pied l'opération « repérage ».

11

TU SENS LE JASMIN, JASMIN !

Ah ! l'odeur d'un jardin arrosé ! Je ne sais rien de plus suave ni de plus enivrant.

Des jets à tourniquet balaient la pelouse et ses plates-bandes de rosiers nains. Ils produisent un léger cliquetis qui accompagne la chute irisée de l'eau sur les végétaux grassement entretenus.

Lorsque j'étais étudiant, je m'arrêtais devant les massifs des jardins publics au moment où ils recevaient leur ration de flotte. Le soleil mettait des arcs-en-ciel au-dessus des fleurs. Une fraîcheur paradisiaque veloutait la nature dressée. Je restais là, charmé, plein d'une ineffable gratitude pour cet instant de grâce vaporeuse.

Ici, c'est *more beautiful* qu'autrefois. Le parc est somptueux, les pelouses soignées à l'anglaise, l'odeur subtile, le chuchotement des jets si soyeux...

Arrête, Sana ! Trop de poésie va faire chier ton lecteur. C'est pas des roses Baccarat qu'il vient chercher dans ta musette, et il regrette que tes états d'âme ne soient pas imprimés sur papier de soie, tant tellement qu'il s'en torcherait volontiers le joufflu !

Je regarde alentour, trouve facilement mes repères. C'était inscrit dans ma caberle : la statue de Zeus, le buis sculpté au sécateur en forme de boutanche, le massif de *flowers*. N'alors je scrute la façade du palais à l'arrière-plan et, sans nul mal retapisse le conduit ménagé dans le mur. Son tracé se lit grâce à d'imperceptibles craquelures dues à la chaleur. Il va depuis le rez-de-chaussée au toit, en une légère diagonale.

M'approche mine de rien et détecte le point où il s'enfonce dans le sous-sol. Les grands policiers comme moi... Qui vient de crier « Tu te mouches pas du coude » ? Merci ! Trop aimable ! Où en étais-je-t-il ? Ah ! oui : les honnêtes policiers jouissent généralement d'un sens suraigu de l'orientation. Ainsi, je conçois aisément à quel point du hall correspond, au-dessous, l'arrivée de cette gaine.

Désormais, la partie que j'entends jouer est simple comme la raie de tes fesses : il s'agit de me rendre au sous-sol et d'explorer.

Mais impossible de procéder de jour à ces investigances. Je serais renouché dans les plus brefs des laids. Attendre la noye. Et même la seconde partie de ladite, les couilles de trois ou quatre plombes, quand tout le monde en écrase.

Au cours de la journée, je me contente de repérer l'escadrin ; il se trouve à promiscuité des cuisines. Me faudra réitérer le gag du détourneur d'images en ce qui concerne la vidéo de surveillance. J'en compte trois sur le parcours qui va de ma chambre à l'escalier des caves.

A midi, je ne suis pas convié au déjeuner princier, biscotte Sa Majesté reçoit. Effectivement, vers 13 heures je vois se radiner trois bagnoles sur le terre-plein d'accueil : Mercedes, Bentley, BMW, dans les fortes cylindrées. Du beau monde en descend : des Espingos de la haute, plus un couple de blondassous rougeoyants que je te parie germains ou, à la rigueur, scandinaves (c'est le même cierge qui coule !).

Les invités sont priés à prendre l'apéro sur la terrasse et les détonations du Dom Pérignon retentissent bientôt.

Rumeur de bon ton. Rires parcimonieux et discrets. La classe !

La petite Espingo qui parle français m'apporte un plateau-repas indénué d'intérêt : bouillabaisse froide, melon au porto. Pas triste. Que n'en plus, j'ai droit à une boutanche de Meursault (peut-être un peu trop fruité mais, en tout état de cause, racé).

Je vais claper sur la terrasse, vêtu d'un short blanc moulant, qui met en évidence mon solide paquet de burnes, et d'un polo également blanc. Je me dis que jusque-là, si j'excepte l'intempestivité du docteur Ti-Pol, tout baigne. J'ai l'impression de passer une convalescence grand luxe dans une maison de cure sur-huppée.

La tortore dégustée, je vais me déposer sur le lit. L'appareil à air conditionné plonge la pièce dans une fraîcheur propice à la dorme. J'ignore si tu l'as remarqué, mais, en période de désœuvrance, plus t'en concasses, plus t'as sommeil ; à croire que ton corps démobilisé capitalise le repos.

Rêve bleu. De quoi est-il question ? C'est impré-

cis. Je bande languissamment. Entre chien et chatte.
L'antichambre de la volupté, tu connais ? Ta carcasse devient aussi légère que ton âme.

C'est la petite soubrette qui me désolympe en
venant quérir le plateau dévasté. Elle s'arrête un
instant pour s'assurer que je dors. Les yeux clos, je
lui souris.

Alors elle murmure :

— Pardon de vous réveiller.

— Viens çà, que je voie ? lui fais-je, comme
disait Molière à la petite Béjard.

Elle est choucarde, cette crevette ; ce qui me
contriste un pneu c'est qu'elle se laisse tringler par
les Dalton Blint et Howard.

Je demande, suivant ma pensée préoccupante :

— Ils te font pas l'amour à cru, ces deux lascars
de merde ; j'espère qu'ils mettent un passe-monta-
gne ?

Elle sourcille au départ, puis décrypte ma question et se marre.

— Plutôt douze qu'un ! fait-elle. Ils ont une
trouille terrible du Sida.

Je lui tends la main. Elle se laisse haler jusqu'à
ma couche en murmurant :

— Je n'ai pas beaucoup de temps...

— Si peu qu'il y en a, ça fait tout de même plaisir, réponds-je, parodiant une vieille chanson de
mémé.

Dix secondes plus tard, j'écrase ses lèvres sous
les miennes, comme on écrit dans les beaux livres
bien chiés et qui valent des prix fous. Sa petite
culotte ne devient plus qu'une patte à poussière
dans ma main soudarde. La gosse se laisse courtiser

le frifri avec élan et détermination. Mouillette détourée avec *fingers* de reconnaissance en rang par deux, ensuite par trois et pour finir par quatre afin de préparer l'entrée solennelle de mon chibraque dans son temple d'amour.

Elle m'ingurgite du bas et halète comme une vieille locomotive dans la cordillère des Andes. Elle a droit à une fringante troussée cavalière, rapide, nerveuse, sans équivoque, qui la pâme en deux coups les gros. Simple coït au pied levé, qui ne cherche pas à l'éblouir mais lui apporte une saine et intense satisfaction, nonobstant sa relative brièveté.

Je la libère de mon occupation et, en Ibérique élevée en France, elle me demande la permission d'aller se refaire une virginité dans la salle de bains.

Peu après, elle repart avec le plateau, oubliant sa petite culotte dont je décide de me faire une pochette. Non que j'aie le goût du trophée, mais il est des souvenirs dont le parfum nous enchante.

Le corps en paix, je décide de piquer une tronche dans la piscaille.

Je tritonne délicieusement quand une sonnerie se met à vibrionner dans ma turne. Ne recevant pas lerchouille de communications, je mets un bout à comprendre que c'est chez moi que ça tinte.

— J'écoute ?

Une voix d'homme demande :

— Tout va bien, commissaire ?

Puis on raccroche et le grand garçon de Félicie reste comme un con dans sa chambre fraîche, avec un combiné téléphonique plaqué contre sa joue.

12

TU T'ÉCARQUILLES, CAMILLE.

Le mec qui inventa par inadvertance la machine à cambrer les bananes n'a pas dû éprouver une plus forte émotion que ma pomme en m'entendant appeler par mon titre (1). Et moi qui croyais être peinard, une fois le Chinois retiré du circuit ! La vie est charognarde, tu sais. Un danger succède à un danger. Tu ne t'es pas plus tôt guéri d'une vérole qu'une autre se déclare !

Je tente de trouver le propriétaire de cette voix. En vain, en vin, en vingt ! L'homme parlait un français sans anicroches. Je me demande même s'il n'avait pas l'accent de Ménilmuche ?

En tout cas, ma sécurité est compromise. Ne devrais-je pas me casser prompto pendant qu'il en est temps encore ? La perspective d'être immergé

_____

(1) La carrière de San-A. est allée beaucoup plus loin que « commissaire », mais il a illustré ce titre de si belle manière que tout le monde continue de le lui donner.

L'éditeur.

dans le détroit me file des frissons sous-testiculaires mahousses comme de la tôle ondulée.

Si mon identité est le secret de polichinelle, je risque de voir tourner court ma vie d'élite. Le docteur Ti-Pol aurait-il fait des confidences à quelqu'un du palais ? Pas impossible. Va falloir que je vigile dur pour conserver ma position verticale, à nulle autre pareille.

Au cours de l'aprème, les invités repartent, raccompagnés jusqu'à leurs tires par le prince et la mère Shéhérazade.

N'ensute, Soliman Draggor se loque en tennisman et, flanqué de son giton, va disputer un set ou deux au petit enculé de frais.

Je me réinstalle dans mon patio. Ma félicité est partie, ne me reste plus qu'un arrière-goût de gueule de bois. Les périls qui me cernent se font plus présents, plus redoutables. L'ami Sana va devoir ouvrir l'œil dans les heures à viendre. Je sens arriver une épidémie de cercueils.

Au bout d'une plombe je commence à me plumer sec. Me biche la psychose du matou castré. C'est bien beau d'angorer sur un coussin de soie, *but after ?*

Quand t'es épuisé par trop de repos, faut te dénouer les muscles ; quand ta cervelle poisse à force de faire de la chaise longue, s'agit de l'emmener au trampoline. Dis, comment ils s'y prennent pour hiberner, les animaux tels que l'ours, le serpent ou la marmotte ? Tout ce temps qui s'écoule sans toi, je pourrais pas. J'accepte de cesser, pas de m'interrompre.

Je distingue quelqu'un dans ma chambre : une silhouette gommée par l'ombre. Et puis la Shéhérazade se montre. Elle a troqué sa tenue « déjeuner en ville » contre une tunique de lin bis et des sandales.

— Tiens, fais-je gentiment, je me languissais de vous.

Un sourire désenchanté entrouvre ses lèvres pulpeuses, me découvrant ses dents nacrées (j'ai lu ça dans *Nous Deux* auquel je collabore parfois).

Elle chasse ses semelles de ses pattounes, trousse son espèce de chasuble et s'assoit au bord de la piscaille, les jambes trempant dans l'eau d'azur.

La lumière allume de somptueux reflets sur sa peau ambrée. Tu sais qu'elle est bandante, Ninette, dans son genre ? Les poils de sa chaglatte sont un peu trop crêpés pour mon goût et me chatouillent les trous de *noze,* mais ça reste perfo. Quand tu lui as bien réussi la raie au milieu et que tu la grumes à la menteuse sauvage, y a du répondant !

Elle est peut-être révoltée par ces pratiques bassement occidentales (et tout particulièrement françaises) mais, fatalement, elle en conserve un souvenir radieux. M'est avis que sa haine qui l'animosait contre moi se meurt doucettement, balayée par le désir qui la rebiche en force. C'est ça, le fion, darlinge ; une obsession qui point, s'épanouit et investit complètement l'heureux bénéficiaire. N'à la fin, y pense plus qu'à « ÇA » : l'idée fixe.

Je m'agenouille derrière elle, place ma main sur son épaule largement dénudée.

— Je suis navré d'avoir heurté votre sensibilité profonde par des manœuvres inusitées chez vous, *darling* chérie. Comprenez que les mœurs diffèrent d'un continent l'autre. Chacun a ses méthodes qui choquent ceux chez qui elles sont bannies, il n'empêche qu'elles lui sont bonnes, que dis-je : exquises. Je conserve en mémoire la saveur fabuleuse de votre intimité, chère Razade. Surmontez votre indignation pour ne vous rappeler que la jouissance qui en résulta.

Là, je ponctue d'une main glissée sur les loloches. C'est permis, au moins ? Parce que s'il faut en revenir à la chemise trouée des nuits de noces du siècle dernier, je préfère prendre un abonnement au Racing et larguer le pénis pour le tennis.

Sa respiration devient haletante. Elle renverse son chef sur mon épaule et je la galoche en douceur, des fois qu'une langue fourrée princesse serait également tricarde chez les Arbicoles. Seulement une caresse labiale, tu vois ? L'effleurance légère. Qu'à peine je lui déguste l'intérieur.

N'après quoi, la petite chérie est propice. C'est la renversette sur matelas pneumatique opportun. Pourvu qu'il se dégonfle pas. Je l'ai regonflé à la bouche ce morninge. Tu te rends compte : baiser sur son propre mélange oxygène-azote, faut le faire, non ?

Là, je l'entreprends façon papa-*mother*. Tête de nœud chercheuse sur la fente de la boîte aux lettres. Manœuvrée main pour plus de subtile précision. Prélassement sur l'escarguinche de roche. Elle *likes it*. Raffole. J'apostole à fond l'âme, la queue, l'énergie. Me sens édifiant de partout. Suprême ! La commence à la maçon portugais, dans une extrême sobriété. Reviens à la charge. Pas encore à la décharge. Tout en nuances raffinées. J'obture, je mastique. Parachève !

Elle aime être ainsi mollusquée ; ignorait que ce pussasse exister un lent déferlement aussi terriblement pâmoiseur. Grand art ! Je m'aperçois, et j'en méduse pis que le radeau, qu'au bout d'une carrière libertine, je cultive de nouvelles méthodes, figures, entreprises. Donc, jamais fini d'innover ? *Thank you, little Jésus*. Queue indéformable ! Agréée par le gouvernement, la commission des fraudes. Fourreau de satin. Tête fureteuse.

La v'là qu'appelle sa mère ! En arbi : faut le faire ! M'interprète *Les 7 mercenaires* et *Les 101 dalmachiens*. Elle y va à bloc, mam'zelle. Se répand de fond en comble, de con en fomble. Je vais devoir rentrer à la nage si elle ne tarit pas des loges ! Tu sais que j'éperduse itou ? Et puis elle gagne le tiercé dans l'ordre. Sa chaglatte qui semble avoir la parole. Qui crie « Ouagadougou » (capitale du Burkina, 250 000 hab.) avec l'accent étrusque. N'à bout de résistance, s'évanouit de trop tout. Va voir chez Razade si j'y suis !

Je me bascule à son côté pour reprendre haleine à tronche entreposée. Me dis qu'une troussée de cette magnitude, je me rappelle pas ! J'avais souvent cru l'approcher, mais maintenant qu'elle s'est produite, je me rends compte de tous les malentendus qui l'ont précédée.

Rien de plus suave que de s'endormir, terrassée par l'intensité d'une étreinte, se plaît à répéter la reine Babiola. Et comme elle a raison, la chère personne !

Voilà que nous nous abîmons, Shéhérazade et moi, dans une dormitude si totale, si profonde, si tout ce que tu voudras qu'on en perd la notion du temps.

Tu vas te marrer : quand j'ouvre un store, il fait nuit. Le mahomed s'est éteint depuis longtemps, remplacé par une lunasse grosse comme le dargif d'une caissière de brasserie bavaroise. Je looke ma tocante à la lumière de ma lampe de lecture. Elle bonnit dix plombes en chiffres romains !

Alors, j'éveille ma partenaire par des baisers gluants. La pauvrette tombe des nues, qu'heureusement le matelas amortit sa chute. Cela dit, elle ne semble pas paniquée. M'explique que Sa Seigneurance ne rentrera pas avant demain car elle s'est rendue à Séville pour visiter une exposition internationale de tiroirs. Ouf ! Ça l'aurait fichu mal que Monseigneur apprenne le comportement de sa dame de confiance !

— Vous n'avez pas faim ? s'enquiert la comblée.

Tu parles, Charles ! Après un tel essorage de burnes, je boufferais une tête d'âne aux haricots rouges ! Le lui dis.

Alors tu sais quoi ? La môme va dégoupiller le tubophone et nous commande une dînette en chambre qui ferait saliver Hubert Montheilet, grand bouffeman de renommée internationale.

— Mais, protesté-je, les domestiques vont...

— Rien du tout, coupe-t-elle : ils ont bien trop peur de moi !

Sa voix reste unie, avec un je-ne-sais-quoi d'enjoué qui me fait froid ici. Tu vois mes claouis ? Eh bien pile entre elles et l'œil de bronze. M'est avis que cette personne doit être terrible quand elle le veut. Et p't'être même aussi quand elle ne le veut pas.

Sa commande enregistrée, elle va s'asperger le module lunaire, puis, lascive, revient se blottir contre moi.

— Vous êtes sûre de la discrétion des domestiques ? insisté-je.

— Ah ! ça, auriez-vous peur ? persifle ma redoutable conquête.

— Je pense à votre réputation ! objecté-je.

— Il ne faut pas : c'est mon problème.

Je gambergeasse un poil.

— Il n'est pas que le personnel, objecté-je, il y a également la femme qui assiste Monseigneur dans ses travaux.

Elle balaie mon objection d'un geste désinvolte.

— Rien à craindre d'elle !

— En êtes-vous certaine ?

— Elle n'est plus au palais, révèle Shéhérazade. Le prince l'a congédiée ce matin avec effet immédiat et l'a fait conduire à l'aéroport de Malaga.

Bloiiiing ! La nouvelle a du mal à franchir le rétrécissement de mon gosier.

Congédiée, la choucarde petite Polack ? Dans l'instant, comme un vendeur surpris la main dans la caisse ? Dis, il est expéditif le monarque !

— Elle a dû commettre une faute grave ? m'enquiers-je-t-il insidieusement.

— En effet, répond ma camarade de lit, la plus grave de toutes : elle avait cessé de l'intéresser !

13

DONNE-MOI TON PROSE, ROSE.

On s'est séparés très tard, car nous avons remis le couvert après le repas, si je puis dire. Oh ! ça n'a pas été l'hyper-séance de l'aprème, mais une simple troussée d'après dîner sans rien de très épique, voire un poil nonchalante, même. Genre poussecafé, si tu piges.

J'ai tenté de lui groumer la malle-poste, histoire de la convertir une bonne fois, mais elle a protesté et regimbé des meules, n'étant plus suffisamment anesthésiée par le désir pour réitérer cette pratique qui l'avait mise en fureur la veille.

Alors quoi, j'allais pas lui en péter une pendule : j'ai fait contre mauvaise fortune bon zob et lui ai servi une culbutée postopératoire sans grandiloquence de la viande, mais néanmoins d'honnête facture.

Pour m'en savoir gré, elle m'a fait mimi sur le casque de Néron en signe d'allégeance et cette attention m'a ému. J'aime qu'on me donne des petites marques d'intérêt, parfois, elles rendent l'existence davantage *cool* ; elle n'est supportable qu'à ce prix (peu élevé).

Après ces tribulations sexuelles, nous nous sommes enfin séparés. Contrairement à la fois précédente où elle me promettait les feux de l'enfer, c'est par une déclaration d'amour éperdue qu'elle m'a quitté.

Et maintenant, j'attends l'heure de partir en expédition dans les sous-sols du palais.

Pas meilleure occase. Le prince, son giton et ses hommes de main sont absents. Sa « secrétaire particulière » est épuisée par un meeting amoureux sans précédent. Je suis prêt à te parier un corbillard transformable en camping-car, contre une inclusion de César réalisée avec les cent derniers tampons périodiques de Madonna, que la gosse va s'anéantir dans son pucier après un bain incontournable. Suffit d'attendre que le palais soit pétrifié dans une dormissure générale. Ensuite je reprendrai mon « détourneur de champ visuel optique » ainsi que mon sésame et partirai en exploration.

Comme me le faisait remarquer la duchesse de Kent, l'autre jour : la vie est une rude épreuve pour un homme tel que mézigue. J'ai fini par devenir celui qui traverse le Niagara de l'existence sur un câble, avec juste ses génitoires pour balancier.

Un danger succède à une troussée, un exploit hors du commun à un trait de génie. Ensuite, brisé, hagard (on m'appelle l'hagard de Lyon), je me place devant une glace dont le teint n'est pas plus fameux que le tien et je me chuchote : « Et après, grand con ? »

Après rien. J'emmène Félicie claper dans un chouette restau à étoiles, je nique une nouvelle frangine dont le slip n'est pas plus grand qu'un timbre-poste, je prends un week-end ensoleillé au bord d'un lagon au sirop de lune, je lis les dix premières pages du nouveau Stephen King (huit cents, j'arrive à les écrire, jamais à les lire), ou bien je vais à la messe dans une église inconnue afin de demander au Seigneur des trucs dont je n'ai pas nécessairement besoin. Le dur, c'est « de faire avec soimême », les autres, on s'en arrange toujours puisqu'on s'en cogne l'os à moelle.

Usant du stratagème employé la nuit précédente, j'atteins l'escadrin conduisant au sous-sol. Il ferme par une large porte en bois verni, percée de petits cœurs comme les gogues dans les « jardins communautaires ».

En bas, c'est tout en briques, avec le plaftard blanc. Une succession de lieux voûtés : chaufferie, buanderie, stockage des denrées, congélateurs, que sais-je-t-il encore ! Séparée du reste, la cave à vins.

A genoux ! tout le monde ! Un très haut lieu. Pour un gazier qui doit être musulman, pardon du peu ! Il est vrai que le prince reçoit beaucoup. Il a entreposé ici des trésors. Je ne m'attarde pas à visiter, hélas, l'heure n'est pas à la dégustation. Pourtant, mon œil exercé repère des flacons incontournables.

Cet endroit comprend une enculade de locaux (comme dit Béru). T'as l'apparte des bourgognes et celui des bordeaux, plus des logements pour d'autres vins moins académiques : vins de Loire, côtes du Rhône, Alsace, et je te passe les cassis, les cahors, toute la lyre ! Vins de la rouge Espagne, de l'adorable Italie, de la pauvre Hongrie martyre. Au fond : la Chapelle Sixtine, à savoir les champagnes. En magnums, en jéroboams, en réhoboams, en mathusalems, en salmanazars, en balthazars et en n'abuchodonosors (qu'on ne peut servir qu'avec une pompe à incendie) ; seize litres, à la tienne, sommelier !)

Je biche une monstre pépie à visionner cet antre de Bacchus, mais le turbin commande.

Moi, toujours malin, me suis, entre autres préciosités, muni d'une boussole. Il est temps de faire le point afin de repérer la gaine qui m'intéresse. D'après mon relevé, elle se situerait en deçà de la cave à vins, précisément.

Sagace commé pas d'autres, je traverse celle-ci (avec émotion). Me voici devant ce que dans ma province nous appelons un « trappon ». Un mètre cinquante au carré. Il est en fer et n'est pourvu d'aucun verrou, d'aucune poignée ou boucle. Je donne du talon sur le métal. Ça sonne le creux (je n'ai jamais entendu sonner le plein). Cette plaque ne laisse pas le moindre interstice dans lequel glisser la tête aplatie d'un pied-de-biche.

Perplexe, je me donne le temps de la réflexion. Il est certain que cette trappe s'ouvre, sinon à quoi servirait-elle ? Donc, on l'actionne grâce à un contacteur invisible. La cave est éclairée par de puissants plafonniers protégés par un grillage. Je regarde la gaine métallique amenant le courant le long de la voûte. Note qu'elle se poursuit au plaftard après avoir desservi le dernier point de lumière. Je vois qu'elle gagne le fond du local et descend derrière les casiers à bouteilles (abritant des magnums de Dom Pérignon millésimé). J'écarte des boutanches pour continuer d'étudier le périple de la petite tuyauterie argentée. Mon battant faille exploser.

Tu veux que je dise une bonne chose ? Si tu rencontres des connards qui viennent te ricaner : « Oui, Santantonio, je vous dis pas, mais il ne faut pas exagérer », crache-leur à la gueule sans attendre, mec ! Ils le méritent, parole ! Parce que, la main sur la bite : entre nous et le pont Alexandre III, des julots de ma trempe, n'y avait que Félicie pour en réussir un vrai.

Voilage-t-il pas que la gaine flexible servant de conduit au fil électrique plonge derrière un panneau de fer ancien (il en existe plusieurs dans cette cave) vantant les mérites du champagne Paul Brick, vieille marque disparue depuis que le fils de Paul Brick (mort en 1945) s'est engagé à la Légion étrangère et que sa mère, la veuve Brick, (née Lapierre d'Evier) a dilapidé sa fortune sur les tapis verts de Monte-Carlo.

Mais l'historique en raccourci de cette illustre maison m'emporte à quelques verstes de mon sujet, dirait Henri Troyat.

Sache que ce câble qui achève son périple derrière le panneau me trouble. Je recrude d'attention, examine la plaque métallique en sentant grandir en moi la certitude qu'elle joue ici un rôle déterminant. Mon examen est à ce point poussé que j'en appelle à l'assistance d'une loupe de poche.

Au bout d'un temps que je laisse à ton appréciation, un sourire de triomphe modeste éclaire mon visage aristocratique.

Je me dis :

« Tu brûles, Antoine ! »

Puis, d'un index déterminé, j'appuie sur le point surmontant le nom de Brick. Il répond à ma pression et s'enfonce. Je le relâche ; le bistougnet reprend sa fonction de point sur un « i ».

Rien ne s'est produit. Le silence demeure entier comme un étalon.

Je rappuie à plusieurs reprises, mais zob !

Déçu, je me retourne et tu sais quoi, Benoît ? La trappe est ouverte sans que j'aie perçu le moindre glissement ! De quoi se la sectionner à ras le bide et se l'exposer au musée du chibre, non ? Mieux encore : de l'espace dégagé sort une clarté verdâtre comme dans les films de science-friction lorsqu'un extraterrestre ouvre sa soucoupe par une belle nuit d'été pour venir pisser dans le Morvan.

Assez terloqué, je m'approche de la cavité. J'aperçois une échelle de fer, genre *Nautilus.*

N'écoutant que mon imprudence, je m'engage dans cette espèce de trou d'homme.

Ma descente aux enfers commence.

14

PASSE AU SALON, ABSALON.

Pourquoi « descente aux enfers » ?

Tu vas le savoir bientôt.

Je compte seize échelons avant de mettre pied à terre. Je me retourne alors et découvre un lieu aux murs de ciment brut, ne mesurant guère plus de cinq mètres sur quatre. Une rampe de néon teinté l'éclaire d'une lumière verdâtre, t'ai-je auparavant signalé.

Ce local est vide de tout meuble, car il n'est pas question de considérer comme étant un lit les deux couvertures gisant sur le sol rugueux.

Sur ces dernières : un tas sombre, informe.

A l'opposé de la pièce, un autre tas, clair celui-là. Je pressens du pire, que dis-je, du calamitesque ! Et, fectivement (peut également s'écrire en un seul mot : effectivement) ce que je découvre constitue un défi : à la raison, à l'imagination, à la condition humaine (entre z'autres).

Je hurlerais s'il y avait suffisamment d'oxygène dans mes soufflets.

Ne sais par quoi commencer. C'est tellement *too much !* Tellement trop tout, comme je dis des fois. T'as beau être le plus grand romancier d'action de Bourgoin-Jallieu, y a des cas de fosse commune et de force majeure où t'es à court.

Par quel bout saisir ma description ? Des bouts, l'être nu qui gît à mes pieds en manque singulièrement. Il n'a plus de jambes, ne dispose que d'un seul bras. On lui a sectionné le sexe au ras du bas-ventre, et puis le nez, les oreilles. Poursuivant un examen qui ferait s'évanouir un tortionnaire gestapiste, je découvre que ces « restes » (pour appeler les choses par leur nom) sont privés de dents et qu'on a découpé les lèvres du gisant. L'homme continue de vivre.

Constatation épouvantable qui te propulse dans l'indicible. Il subsiste un regard dans cette abominable tête de reptile. Deux yeux fous, à demi fondus, qui regardent sans voir. Et cette « presque chose » respire encore. Elle mange : une écuelle contenant une nourriture mal identifiable est posée à côté de sa tête ; elle boit : j'avise une bouteille munie d'un chalumeau. Ce que j'ai pris pour des couvertures sont en réalité des toiles de bâche qu'on lave à l'occasion au moyen d'un jet (un rouleau de plastique se trouve dans un angle du local) et l'évacuation se fait par une grille de vidange logée au milieu de cette cage. C'est la gaine d'aération qui alimente l'endroit en air comestible.

Je prends la totalité de mon courage et me laisse tomber à genoux auprès de ces restes en vie.

— Vous m'entendez ? murmuré-je en mettant

dans ma question toutes mes réserves de charité humaine.

J'ai usé de l'anglais ; suit un bout de silence et la bouche mutilée s'entrouvre pour proférer une longue plainte identique à celles qu'amplifiait le conduit d'aération.

— Je suis un ami, dis-je.

Mais l'homme en lambeaux émet un râle qui semble néanmoins avoir un sens.

— Vous comprenez l'anglais ? reprends-je.

Cette fois c'est une sorte de grognement d'assentiment qui lui échappe.

Je remarque que l'individu saccagé a la peau blafarde. Les amputations qu'il a subies ont été réalisées par un homme de l'art, j'en ai la preuve par la qualité des moignons qui furent traités de manière professionnelle.

— Vous êtes arabe ? lui demandé-je.

Il me semble percevoir un *yes* escamoté.

J'ai dû souvent t'estomaquer par mes dons divinatoires, lesquels s'exercent dans les instants critiques, comme si je recevais alors le concours provisoire d'un sixième sens.

Me voilà à jacter, doucement, en articulant bien :

— C'est vous qui aviez dérobé le trésor Izmir au shah d'Iran ?

Un silence prolongé. J'ajoute :

— Vous pouvez me parler, je vais essayer de vous tirer de là. A quoi bon douter de moi puisque je représente votre ultime chance !

Nouveau temps. Puis « l'être » (je me refuse à l'appeler « la chose ») profère une seule syllabe qui, je l'espère, marque l'affirmation.

— C'est Ceauşescu qui vous a racheté le trésor, n'est-ce pas ?

Un autre son impossible à interpréter. Je tente de faire la converse à un tronçon d'homme, alors que tout mon esprit ne formule qu'une seule pensée : achever ce malheureux. Le délivrer enfin de l'enfer où il agonise. Dieu sait que je réprouve l'euthanasie, mais que peut-on souhaiter d'autre à ce reliquat d'individu ?

Le silence devient sifflant comme une ligne à haute tension qui gambade dans l'été.

— Oui, ne dites rien, murmuré-je. Vous en avez votre claque de cette sale histoire, mon ami. Des années et des années qu'on vous torture. Vous avez dit fatalement tout ce que vous saviez.

Il essaie de chuchoter quelque chose de difficile à entraver. Il me semble piger.

— Vous avez soif ? lui demandé-je.

Plainte qui, sans doute est approbatrice. J'approche le chalumeau de sa bouche sans dents ni lèvres et il avale de l'eau avec mille difficultés de déglutition. Comment cet homme a-t-il pu survivre si longtemps à ces abominables mutilations ?

Depuis des années il est en bute à la vindicte de Soliman Draggor. Mais peut-être que le prince a mis du temps à le retrouver.

Ah ! si je n'étais retenu par la pitié, j'en aurais à demander à cet être dévasté !

Quand il a fini de sucer la paille, il ferme les yeux. Je n'ai pas le courage de lui poser d'autres questions, ni celui — charitable — de mettre fin à son abominable agonie. Jamais je ne me suis trouvé confronté à un tel cas de conscience.

Histoire de rassembler mes esprits, je me relève et vais au second tas, à l'opposé du local souterrain.

Deux pas de moyenne importance me suffisent pour me permettre de capter ce nouveau pôle d'intérêt.

Là, le tournis me chope, si vertigineux que je vais m'écrouler.

Tu sais quoi ? Tu sais qui ?

Ma jolie, mon éblouissante, ma merveilleuse Polack, camarade ! Parfaitement, Armand : la choucarde collaboratrice de Son Altesse Moncul ! Krystyna, quoi !

Sa gorge est sectionnée d'une oreille à l'autre.

Quelle serait ta réac' en pareil cas ? Tu gerberais, non ? Ben moi aussi, Riri. On n'est que des hommes, après tout !

15

ÔTE TA CHEMISE, LOUISE.

Au bout d'un instant de récupération partielle, je reviens au mort-vivant. Je lui découvre des milliers de points de piqûres sur les cuisses. Ce gazier reste en vie artificiellement, ou presque. Je suppose qu'il constitue un miracle du défunt docteur Ti-Pol. Le magot devait faire des prouesses pour le maintenir en état de semi-existence.

— Comment vous appelez-vous ? je lui demande.

Ma question paraît le surprendre ; elle déclenche dans sa pauvre tronche un processus de pensées. Il se dit que, si j'ignore son blase, c'est donc que je ne suis pas le complice du prince. Dès lors qu'il se peut, effectivement, que je me montre son allié à lui. Tu piges, Edwige ?

Il chuchote :

— Aroun Arlachi.

— Quelle nationalité ?

— Syrienne.

— Il y a longtemps que vous êtes prisonnier de Soliman Draggor ?

— Des années, je ne sais plus...

— C'est lui qui vous a mutilé ?

— Son docteur asiatique.

— Pourquoi vous a-t-il infligé ce martyre ?

— Vengeance.

Je te mets en clair cet interrogatoire, mais sache qu'il nécessite beaucoup d'efforts de sa part et de la mienne.

Le pauvre être est exténué. Je pense que, privé du toubib, il ne va plus tenir longtemps. En disparaissant, Ti-Pol l'a condamné à mort également.

— Combien étiez-vous pour voler le trésor du Shah ?

— Trois.

— Vos compagnons ?

— Morts.

— Le prince les a fait tuer ?

— Il les a supprimés de sa main. Cela a duré des jours.

Je me doute que ça n'a pas été une partie de campagne pour les malheureux.

— Et vous ? Pourquoi vous conserve-t-il en vie ? questionné-je, malgré ma honte de tourmenter l'agonie de cette épave d'homme.

L'autre a un vagissement. Ses yeux se sont fermés. J'attends. Va-t-il mourir devant moi ? Non, car au bout d'un temps infini, il chuchote :

— Il espère...

— Quoi ?

Nouveau silence. Puis je l'entends chuchoter :

— Vous voulez bien me tuer, s'il vous plaît ?

Quelle requête ! On me l'a formulée plusieurs fois au cours de ma garcerie de carrière, mais jamais en ces termes et avec une pareille humilité.

— Je vais essayer de vous sauver, promets-je sans trop y croire.

— Pas... possible ! balbutie-t-il.

Il supplie :

— Il faut me tuer, je n'ai pas eu ma piqûre et je...

Il s'évanouit. Sur le coup je le crois mort, mais ayant posé ma main sur sa poitrine, j'y perçois encore la fabuleuse présence de la vie. Je me dis que les instants que je suis en train de traverser marqueront mon existence pour toujours. Comment parviendrais-je à occulter de mon esprit cet agonisant ravagé ? Il n'est plus qu'un moignon, qu'un cœur obstiné qui s'acharne encore a oxygéner du sang dont le circuit est réduit au minimum.

En songeant au prince, je suis pris d'une haine mortelle. Je voudrais pouvoir détruire ce monstre à coups de talon. Mais existe-t-il une punition à la mesure de ses forfaits ? Il faudrait le cramer vivant, le jeter, hurlant, dans un brasier purificateur. Seulement, ensuite, ses cendres elles-mêmes demeureraient une insulte au genre humain. Rien ne se perd, rien ne se crée, hélas ! Et c'est bien là notre fatalité terrestre. Entiers ou résiduels, nous demeurons à tout jamais.

Me voilà bien, moi, dans cette grande boutique des horreurs où « quelqu'un » dont j'ignore tout sait qui je suis. Où le sous-sol recèle une femme égorgée et un homme mutilé à l'extrême. Je ne peux rien pour celui-ci, sinon mettre fin à son interminable agonie ; mais cette perspective m'est intolérable. Lorsque je bute, c'est toujours en état de légitime défense.

Penché sur Aroun Arlachi, je sonde ce visage effrayant. Je sens que des larmes me viennent. De pitié pour cette ravissante fille assassinée, pour cet homme supplicié au-delà du supportable. Pauvre diable, mon frère, quoi que tu aies fait de nuisible au cours de ta vie, tu en auras été puni au-delà du concevable.

Je baigne dans une détresse infinie, telle que je ne me rappelle pas en avoir connu de semblable. Je sens que si je ne m'arrache pas à cette fosse, je vais sombrer dans la plus grande neurasthénie.

Et puis, tu le sais : toujours l'inattendu se produit. En tout cas, dans mes livres c'est commak.

Il y a brusquement un bruit derrière moi. Volte du fameux Sana. Un individu dévale dans le local d'une manière particulière et, en tout cas, fulgurante. Il tient les montants de l'échelle de fer et se laisse glisser. Bonjour les paumes des mains !

Je m'apprête à lui bondir sur les endosses histoire de l'accueillir d'une clé japonaise, seulement il se retourne et je reconnais le minet du prince, le blond Boby. Il est en robe de chambre de velours blanc ornée, à l'emplacement de la poitrine, d'un motif doré. Comme il est apparemment sans arme, je retiens le crochet du droit qui était déjà en partance pour son gracieux menton. Mon expression doit rester belliqueuse cependant car il me dit, en français avec son plus émouvant sourire :

— Ne soyez pas inquiet, mister San-Antonio, nous travaillons pour une même cause.

Là, il m'éberlue, le gamin. Si tu savais comme il est beau, blond et bronzé dans ce peignoir blanc ! Je pige que tu te l'entreprennes quand tu as viré ta cuti. C'est franchement du giton de toute première qualité.

— Je vous croyais parti avec Monseigneur ? fais-je.

— J'ai prétexté une indisposition et j'ai rebroussé chemin en taxi.

Il continue de me sourire ; je suis frappé soudain par l'intelligence de ce gracieux visage. Quand il folâtrait nu entre les mains de Soliman, je ne m'étais pas intéressé à son regard ; probablement d'ailleurs le gardait-il « en codes ». A cet instant de confrontation, le garçon se dévoile « de l'intérieur ».

— C'est vous qui m'avez téléphoné en m'appelant par mon nom ?

— *Yes, sir :* je voulais vous inciter à la plus grande prudence.

— Je suppose que vous allez me fournir quelques explications, lui dis-je, car j'ai une sainte phobie de me sentir idiot.

— Certainement. Mon nom est Robert Windsor, mais je ne suis pas apparenté à la famille royale britannique pour autant ; je travaille dans une branche plus ou moins secrète de l'Intelligence Service.

— A votre âge !

— Je sais que je fais très jeune, cependant je vais sur la trentaine, mon cher.

— L'homosexualité conserve ! lancé-je-t-il perfidement.

Il ne sourcille pas et garde son lumineux sourire.

— Je suis moins *gay* qu'il n'y paraît, mon cher. Si un jour nous avons l'occasion de parler, je vous raconterai ma vie de gosse dont la mère précocement veuve s'est remariée avec un détraqué sexuel. Pendant douze ans, ce salaud a abusé de moi, me pliant à tous ses caprices, et Dieu sait qu'il en avait de pas ordinaires. Ces pratiques ne m'ont pas détourné des femmes, au contraire, dirais-je. Mais elles m'ont permis de séduire les hommes quand les circonstances le demandent.

J'avais encore jamais entendu ça, tu vois. C'est marrant la vie, parce que tu découvres que TOUT existe.

Je défrime cet être exquis qui n'hésite pas à se prostituer pour servir ses desseins.

— Pas courant ! assuré-je.

— Choqué ?

— Je devrais ?

— Beaucoup de gens le seraient à votre place.

— Vos supérieurs connaissent cette particularité ?

— Non seulement ils la connaissent, mais en outre ils l'exploitent. Je suis un agent très recherché, vous savez.

— Je n'en doute pas.

Il m'abandonne un instant pour aller considérer le « tronçon d'homme » gisant sur le sol. Puis il se tourne vers moi.

— Je pense que la disparition du docteur Ti-Pol lui est fatale. A ce propos, c'est vous, n'est-ce pas ?

— Moi quoi ?

— Qui avez supprimé l'horrible petit magot ?

— Non.

Il cesse de sourire et me regarde avec commisération.

— San-Antonio ! Pas avec moi !

Je soutiens son regard.

— Croyez-moi ou allez vous faire foutre, mon cher, lui dis-je en connaissance de cause, mais il s'est supprimé lui-même, accidentellement.

— Je ne vous demande pas où vous l'avez caché, reprend l'Anglais, c'est votre problème.

— Exactement.

Il hausse les épaules et ramasse une des deux couvertures traînant sur le sol, la roule avec répulsion car il s'en dégage une grande puanteur ; ensuite il l'applique sur le visage ravagé de l'Arabe. Je comprends son geste, bien que ne l'approuvant pas.

— Ça ne devrait pas être très long, dit Boby.

Et il se met à siffloter entre ses dents une vieille ballade irlandaise.

16

TU AS LE CHIBRE EN OR, VICTOR.

Windsor est très intéressé par l'astuce dont j'use pour ne pas me laisser repérer par les objectifs balayeurs.

— La débrouillardise française ! ricane-t-il.

— Vous entrez un moment ? lui proposé-je lorsque nous avons atteint la porte de ma chambre.

— Volontiers.

J'ajoute, mi-figue fraîche, mi-raisin sec :

— En tout bien tout honneur, naturellement.

Ça le rend maussade :

— Je vous ai dit que l'homosexualité ne constituait chez moi qu'un moyen, surtout pas un plaisir.

— Je plaisantais.

Nous nous déposons dans « mes » fauteuils.

— Vous aimeriez boire quelque chose ? l'interrogé-je-t-il.

— Non, sans façons : avec ce sac-à-merde de prince, je passe ma vie à biberonner.

Pendant quelques instants, on ne perçoit que le murmure glouglouteur de la piscaille.

— Je peux vous demander ce que vous faites en compagnie de ce salaud ? me risqué-je.

— Il ne m'est pas possible de vous répondre.

— Secret professionnel ?

— Exactement. De mon côté je ne vous poserai pas la question.

— Peut-être nos missions sont-elles similaires ? hypothésé-je.

— Possible ; voire probable.

— Vous trouveriez stupide que nous fassions cause commune, Bob ?

— Impossible.

— Donc vous tenez à faire cavalier seul ?

— Ce n'est pas que j'y tienne : j'y suis contraint.

— Dommage.

— Pas certain.

— Question subsidiaire : est-il envisageable que nous nous portions aide et assistance en cas de gros pépin ?

— C'est tout à fait exclu, mon cher ; la sympathie que vous m'inspirez est certes très vive, mais je ne lèverais pas le petit doigt pour vous secourir si les choses tournaient mal.

— Eh bien, voilà qui est direct.

— Nous ne sommes pas des gens à nous bercer d'illusions.

Quel esprit déterminé ! Tu sais qu'il me fait froid aux noix, ce Britiche implacable ? Il joue à merveille les minets dociles et veules ; en fait une volonté d'airain l'anime.

— Il y a longtemps que vous êtes la maîtresse de Soliman, cher ami ? questionné-je en évitant tout persiflage.

— Six mois, me répond-il. Nous nous sommes connus à Saint-Moritz, l'hiver dernier.

— Fortuitement ?

Il prend une expression commisérée :

— San-Antonio, murmure-t-il ; un homme comme vous...

— Je ne me suis jamais défait d'une grande naïveté dont certains estiment qu'elle fait mon charme, plaidé-je.

Puis, revenant à notre propos :

— En tout cas, vous allez vite en besogne, Boby : devenir en si peu de temps le confident de ce type retors, être dépositaire de ses secrets effroyables, chapeau ! C'est un nouveau Gilles de Rais que ce prince !

Il réprime un bâillement.

— Et encore ne voyez-vous que la partie émergée de l'iceberg, assure Windsor avec cette juvénile désinvolture qui ajoute tant à sa séduction.

Je l'enveloppe d'un de ces regards qui font de la spéléologie dans l'âme humaine.

Lui aussi continue de me défrimer, avec toujours son merveilleux sourire de chérubin.

— Oui, je comprends, finis-je par murmurer.

— Que comprenez-vous ?

— Vous lui avez donné des gages pour le mettre en confiance ; et de sacrés gages, pas vrai ? J'ai la certitude que vous êtes un garçon tout à fait hors normes. Quand il faut « mettre le paquet », vous le mettez sans hésiter. Exact ?

Il se lève.

— C'est le moment de dormir, coupe-t-il. Pour

une nuit que je ne vais pas avoir ce salaud contre moi, il me faut en profiter.

— J'ai deux questions innocentes à vous poser auparavant, cher confrère ; vous me les permettez ?

— Dites toujours...

— Pourquoi la secrétaire a-t-elle été égorgée ?

— Parce que la curiosité est un défaut impardonnable, principalement dans ce palais.

— C'est-à-dire ?

— Sa Majesté avait laissé ouverte la porte de son coffre-fort pour aller régler une question d'intendance. La gentille Krystyna qui écrivait dans la pièce a eu la fâcheuse curiosité d'aller couler un œil dans l'armoire blindée. Elle y a vu des choses qui l'ont fait s'évanouir. Soliman est revenu peu après et a compris ce qui se passait. C'est le genre de peccadille qu'il ne peut supporter, aussi lui a-t-il tranché le cou avec un cimeterre d'apparat. Quelle est l'autre question, San-Antonio ?

— Elle me concerne. Le prince nourrit-il quelque doute à mon sujet ?

Et sais-tu ce que l'étrange garçon me répond ?

— Pas encore.

AU SERVICE
DE LEURS MAJESTÉS

DEUXIÈME PARTIE

AU SERVICE
DE LEURS MAJESTÉS

17

VOILÀ QUE TU DÉCONNES, LÉONE.

Un vent que n'importe quel romancier médiocre aurait qualifié de violent agitait les branches de sassafras. La forêt dense, d'un vert destructuré, semblait enfanter la nuit. Le couple avançait entre les fûts, tendrement enlacé. Quelques pas en avant de lui, un gros garçon joufflu s'arrêta pour écouter les pépiements provenant d'un nid perché dans les hautes branches. Au sein des Carpates sévères ce doux ramage faisait penser à un hymne céleste.

Le gamin s'arrêta pour repérer le logis des oisillons. Il finit par le discerner, coincé à la fourche d'une haute branche.

— P'pa ! appela-t-il, y a un nid.

— C'est logique, déclara son daron, dans une forêt !

— J'peuve grimper le chercher ?

— Si tu me promettrais d'pas t'casser les reins !

La mère du garnement intervint :

— Voilions ! T'sais bien qu' c'gosse est dégourdi comme un manche à couilles.

— Js' t'ment : faut qu'il acquérisse d'l'espérience ! sentencia le géniteur. Moive, à son âge, j'mettais des noisettes sous la peau d'ma bite.

— J'voye pas l'rapport n'avec grimper aux arbres, fit l'épouse, non sans raison.

— J'aurais eusse pu m'infecter, assura le papa.

Elle ne répondit pas. Leur garnement venait de disparaître à travers les frondaisons et leur solitude matrimoniale lui mettait des langueurs.

— J'ai toujours raffolé les p'tites troussées en forêt, soupira la dame d'une voix en partance.

— L'gosse peut nous voir, déclara le mâle, davantage soucieux de pudeur.

— Si tu croives qu'y s'occupe d'nous !

De manière péremptoire, elle ôta sa vaste culotte qui, une fois séparée d'elle, ressembla à un parachute après l'atterrissage. Elle ouvrit ses énormes cuisses afin de régler leur compte aux ultimes objections de son époux.

Ce dernier regarda la seconde forêt qui lui était offerte, au sein de laquelle on devinait comme des caroncules de dindon.

Vaincu par tant d'affriolances, il transforma son pantalon en socquettes.

Bien qu'extrêmement brefs, les préliminaires avaient suffi à transformer le sexe du guerrier en colonne dorique. Faisant foin des papouilleries d'usage, il s'empara de sa moitié (une moitié copieuse comme une entière !) et commença à la perpétrer. Malgré l'importance de son membre, le déduit fut tout de suite générateur de sensations fortes car la belle avait le désir lubrificateur.

Deux écureuils au pelage gris cendré s'interrompirent de bouffer des glands devant un aussi charmant spectacle.

Emportée par l'intensité de son plaisir, la voluptueuse compagne du promeneur se mit à lancer des cris prometteurs d'une rapide libération. Le gamin dénicheur prit peur en les entendant. Il eut un soubresaut qui lui fit lâcher la branche à laquelle il se cramponnait et chuta à travers les frondaisons. Il se serait volontiers (1) rompu le cou si son ange gardien zélé ne l'avait fait assolir dans un taillis qui, pour être épineux, n'en amortit pas moins le choc. Le dadais se prit à pousser des clameurs pour film de corsaires (séquence de l'abordage par un bateau turc).

Le père se hâta de remonter son pantalon et la maman de se torchonner le mistigri avec une poignée d'herbes.

Tout en détartrant son vase d'expansion, elle invectivait le père coupable d'avoir accordé une permission qui aurait pu causer le trépas de leur unique héritier. Cette colère parut injuste au mâle, lequel avait quelque difficulté à remiser son module Apollo dans ses braies. L'engin tardait à retrouver sa position de repli car, même après la salve libératoire, son appareil reproducteur, émotion ou non, gardait longtemps encore sa vigueur.

Le chef de famille se lança courageusement à l'assaut des taillis, armé de son seul Opinel, couteau qui appartient au patrimoine de la France et contri-

---

(1) Pourquoi « volontiers » ? Là réside ce que Jérôme Garcin appelle : « Le Mystère San-Antonio ».

bue à sa gloire, tout autant — sinon plus — que la base de Kourou.

Je me tenais à l'affût, assis sur une souche que se disputaient vers et champignons. Arrivé dans les Carpates la veille, je faisais du repérage en compagnie des « Frères Karatastrophe » Blint et Howard.

Cela avait débuté par une vadrouille autour de la citadelle de Bistroka, bâtiment pénitentiaire rébarbatif aménagé par les communistes dans un ancien château du xvᵉ siècle. Les douves de jadis avaient été remplacées par un vilain mur édifié à la six-quatre-deux, lequel était hérissé de pics que le premier con venu aurait réputés « acérés ». Des postes de garde s'élevaient aux quatre angles et une seule issue permettait de pénétrer dans ce lieu angoissant, voire hypothétiquement d'en sortir.

Pas de la tarte !

Blint, qui m'escortait, m'avait coulé un regard en chanfrein. Son petit visage rusé de vicieux torve s'était enrichi d'un sourire ironique.

« — Pas facile, hé ? » avait-il murmuré.

Je m'étais abstenu de répondre, ne voulant jouer ni les matamores, ni les défaitistes.

Au cours de mon « entraînement » j'avais appris le roumain, langue latine, comme les analphabètes l'ignorent, et qui se laisse facilement apprivoiser par un Français pour peu qu'il soit d'une nature persévérante.

Après une nuit passée à l'auberge *Christophi,* nous avions tenu conseil. Mes compagnons furent d'accord pour que nous investiguions séparément.

En l'occurrence, j'étais le chef de l'expédition et ils se montraient dociles. Je leur confiai la surveillance des allées et venues aux abords de la forteresse et me réservis l'exploration du chemin qui s'enfonçait dans la forêt, voie dont j'espérais beaucoup dans l'hypothèse où notre coup de main réussirait.

Et puis m'y voici donc, vicomte.

Quel n'est pas mon abasourdissement que d'y découvrir trois promeneurs auxquels je ne m'attendais guère, à savoir le ménage Bérurier et son unique enfant Apollon-Jules.

Dieu que la vie est surprenante ! Charognarde la majorité du temps, mais si riche en imprévus qu'on finit par lui pardonner ses fumiardises sans nombre.

J'observe le comportement de ces étranges bipèdes qui se démènent pour extraire d'un fourré barbelé par la nature le louche résultat de leurs copulations. Le gamin continue de rameuter la garde par ses cris d'orfèvre (se dit également « d'or frais »). J'ai assisté à leur accouplement farouche. Spectacle somptueux. Leurs gros ventres, en s'entrechoquant, produisaient le bruit que faisaient jadis les lavandières portugaises en battant le linge (maintenant, elles sont toutes équipées par Electrolux et le folklore l'a dans le cul). Et puis leur moutard arboricole s'est fraisé au moment du lâcher de Sa Majesté et des recherches sont entreprises pour le détailliser, puis le déroncer. Peu commode. Ils n'y parviennent qu'après de longs efforts. C'est un goret qui a valdingué, ils récupèrent un porc-épic.

La mère, oublieuse de la troussée qu'elle vient de se coller dans la caisse enregistreuse, condamne derechef le laxisme paternel. Elle dit qu'avec un gamin aussi stupide que son père, la cata était incontournable. A quoi le pater familias riposte qu'il est logique d'avoir un chiare aussi branque quand le seul exercice que la mère se donne c'est pour pomper des chibres ou se les faire encastrer dans la moniche.

Les échos de la forêt se font un malin plaisir de réverbérer l'aimable discussion. Apollon-Jules continue de bieurler.

Picaresque !

On extrait le dénicheur de son buisson ardent de zobs et pines en flirt. Il a la frime lacérée et sanguinole d'un peu partout. La Berthe égosille qu'un polo tout neuf, bordel, regardez-moi dans quel état qu'il l'a mis, l'est juste bon à faire des chiftirs à poussière !

Ma survenance met fin au concert imprécatoire. Les trois cessent de parler, partant, de débloquer, et me défriment comme si j'étais le prince de Galles en tournée d'introspection à Balmoral.

— Alors, mes amis, leur fais-je-t-il, ça vous plaît, les Carpates ?

J'ai laissé pousser ma barbe, façon capitaine Haddock, et ils ont du mal à me « remettre » en plein. Le môme, en tout cas, pas du tout.

— Qui qu' c'est, c'con ? s'informe-t-il auprès de son paternuche.

Je fais signe au Mafflu de me suivre dans le sombre sous-bois afin que nous puissions y échanger des paroles riches d'enseignement.

— Comme je ne crois pas lerchouille au hasard, je ne pense guère qu'il s'agisse d'une coïncidence ? interrogé-je.

Il revient gentiment de sa stupeur.

— C'est le Négus qui t'remplace en ton absence.

— Il t'a ordonné de venir dans ce coin perdu ?

— Mouais.

— Il savait que je m'y pointerais ?

— Mouais.

— Qui l'a prévenu ?

— N'a pas fourni d'esplicances ; t'sais, les négros, quand t'est-ce y z'ont l'autoritance, y s'croivent !

— Ça s'est fait comment ?

— M'a dit d'viendre av'c ma gerce et le chiare dans c'patelin d'chiottes. Si tu croives qu' Berthy apprécecille : ell' d'vait aller aux Canaries av'c not' pot' Alfred. V'là deux jours qu'on est laguche, et pour c'qu'est d's'plumer, on s'plume ! J'sus t'obligé d'la calcer trois fois par jour pour y fournir quéques distractions. Reusesement y a des gardes d'la forteresse qui vient boire l'coup à l'auberge. J'pense qu'ell' est en train d'chambrer un gradé baraqué armoire normande, av'c d'grosses moustaches qui la fait rêver, ma Grosse. Elle raffole se laisser groumer la chaglaglatte par un gonzier qu'a d'grandes baffies. S'l'ment, j'sais pas si ça va boumer : la minette, c't'une combine d'chez nous. Dans les aut' patelins, les mecs, souvent, font la fine bouche.

Tandis qu'il jacte, je gamberge. Brave Jérémie Blanc qui suit l'affaire d'on ne peut plus près ! Quelle géniale idée de m'expédier des renforts de cette façon innocente ! Qui donc, en effet, penserait que ce couple d'obèses, avec son môme taré, sauraient être mes éventuels complices ?

J'interromps le verbiage du Mastard :

— La touche de Berthy m'intéresse, Gros. Il faut absolument qu'elle se mette bien avec le gardien galonné dont tu me parles.

Il hargnit :

— Qu' j'prostitupe ma rombiasse ! C'est ça qu' tu m'demandes ?

— Il faut savoir joindre l'utile à l'agréable, Alexandre-Benoît. Au lieu de t'encorner pour rien, cette bonne chérie peut servir une juste cause.

J'ai parlé grave. Il est impressionné.

— Si c'est par d'voir, murmure-t-il, videmment, ça change l'aspèque du problème.

— Merci, mon chéri. Je savais que, dans les cas importants, on peut en appeler à ton sens du devoir. Dis-toi que Berthe agira pour la France en pompant le nœud de ce mec !

Il opine. Soumis au-delà de tout. Galvanisé, même.

— Moive, quand est-ce les intérêts du pays est en jeu, j'obéis.

— Je le savais, approuvé-je : tu fais passer la nation avant tes sentiments personnels ; c'est le fait d'un grand citoyen. Béru, nous sommes fiers de toi !

Il apprécie l'éloge puis, l'ayant assimilé, s'enquiert avec un brin de mélancolie dans l'intonation :

— Faut qu' j'vais tiendre la chandelle, pendant c'temps, mec ?

— Non, mon cher, j'ai mieux à te proposer.

— Quoive ? croasse mon Valeureux.

— Les Roumains, peuple latin, sont très franco-
philes. Tu n'auras pas de mal à faire ami-ami avec
la garnison de la citadelle.

— Et n'après ?

Nous interrompons notre converse car la Béru-
rière se pointe, tenant son chiare par l'épaule.

— C'est fou ce qu'il a grandi, ce chou ! fais-je à
l'heureuse mère. Un vrai p'tit homme !

Elle rosit de satisfaction.

— Vous savez qu'y s'branle déjà ? annonce-
t-elle, le mufle éclairé par sa vanité maternelle.

18

TU ES UNE CRAPULE, JULES.

Et puis les événements se précipitent.

Souvent, dans la vie (en anglais *the life*).

Elle semble déambuler d'un pas de sénateur obèse, et soudain, au moment que tu t'y attends le moins, la voilà qui pique un sprint et tu dois déféquer des bulles carrées pour tenter de la rattraper.

Ça se passe comme ça...

Berthe rentre à l'auberge soigner les balafrures de son branleur prodige. Nous deux, le Gros et moi, on décide de faire les Carpates (ou Karpates) buissonnières, manière de dresser un plan d'action. Il sera schématique au départ, mais les circonstances l'étofferont.

On va sous les noires frondaisons, devisant à voix mesurée comme deux émérites qui se connaissent de longue date et ont plaies-et-bossé sur presque tous les continents. Quand, tout à coup, le Mastard bronche comme un bourrin devant la prothèse qu'aurait perdue un unijambiste.

Je ne l'interroge pas de la voix, mais du regard.

Il feint de relacer sa chaussure. Comme il porte des mocassins, l'opération lui demande peu de temps. Lorsqu'il se redresse, je note qu'il tient un caillou triangulaire dans sa dextre. Je me dis que ce fils de Saint-Locdu-le-Vieux, à la jeunesse braconnière, vient de retapisser quelque gibier.

Au lancement du gadin, il est imbattable, *Big apple*. Il m'est arrivé de lui voir tuer un garenne à trente mètres d'un jet imparable.

Effectivement, il prend appui sur sa jambe droite positionnée en arrière, bombe le torse, arrondit le bras, émet un cri de kamikaze qui vient de se prendre les burnes dans la fermeture Eclair de son short, et balance sa pierre à travers les branches.

Presque *immediately,* je perçois un froissement de feuillage, ponctué de brisures de branchages, et une masse sombre vient s'écraser sur le chemin.

Un mec ! Il a chu la tête en bas et sa coucourbe a éclaté sur une roche de l'époque tertiaire bordant le sentier.

Un sale silence succède. La chose s'est passée si rapidos que j'ai du mal à la réaliser.

Il est clair, à sa position, que l'arboricole s'est pété les cervicales.

Un froid glacé (comme dit souvent le Gravos) m'envahit.

— Seigneur ! Tu es complètement louftingue ! murmuré-je.

— Tu vas pas nous faire un caca nerveux ! grommelle le Mammouth. Ce zig était en train de nous flasher au téléobjecteur. C't'un mirac' que je l'aye aperçu, grâce qu' le mahomed f'sait scintilleller son gros viseur !

— Mais tu ne comprends pas qu'il vient de se rompre le cou !

— C'est d'ma faute si c'tordu n'avait pas le pied marin ? s'emporte le Pachyderme. Tout c'que j'y ai fait, c'est d'lu balancer une pierre, et c'nœud volant qu'en profite pour valdinguer !

Je m'approche du désarbré qui gît, face au sol, avec encore son Kodak autour du cou. Sa théière est vachement fêlée, côté gauche, vu qu'elle a porté sur l'angle du rocher mentionné plus avant. Et puis, pour faire le bon poids, une partie de ses vertèbres sont nases.

De la pointe de ma godasse, je le retourne. Alors je morfle comme une secousse électrique dans le fondement en retapissant Howard, l'un des deux hommes de main du prince.

Mon camarade qui connaît tout de moi sait déchiffrer mes mutismes aussi bien que mes mimiques.

— Chef-lieu Ajaccio ? il me demande (1).

— C'est l'un des deux gorilles qui m'accompagnent, soupiré-je. Je suis cuit.

— Faut toujours dire peut-être ! ricane le lanceur de pierres.

Sa détermination est réconfortante.

— Bon, casse-toive, grand, j'vas fair' l'ménage ; la forêt, ça m'connaît, qu'é soye normande ou carpateuse.

Ayant dit, il se baisse, saisit feu Howard par les cannes et, d'un épaulé de gladiateur, le charge sur ses endosses.

_____

(1) Locution convenue signifiant que ça se corse.

Je le regarde disparaître entre les fûts, de sa pesante démarche de laboureur arpentant les gras sillons de ses champs. Homme invincible parce qu'il se sent à la mesure de son existence.

L'appareil photo pend du mort comme une cloche muette accrochée au cou d'une vache.

19

ÇA LUI DÉMANGE, SOLANGE.

Faudrait peut-être que je te causasse de l'auberge *Christophi*, nichée en lisière de forêt, non loin de la clairière où s'élève le monastère Cégrotoncùh édifié en 1644 par le voïvode Teïdus Lapidus. Le régime rouge avait transformé celui-ci en lupanar consacré au soulagement des surveillants de la citadelle ; mais à la chute du tyran, il a été rendu au culte et des moines castorus l'ont remis dans son état primitif, supprimant les bidets, les fresques pornographiques et le débarrassant des louches accessoires chargés d'en accroître l'attrait, tels que godemichés, gravures érotiques, martinets et autres babioles du genre dont les malbandants sont friands.

Pour t'en revenir à l'auberge, c'est un bâtiment cacateux (par sa couleur et son architecture) ; rien n'est très folichon dans ce pays, malgré sa latinité. Il a subi trop d'épreuves, trop de tyrannie. Il en a résulté une sorte d'apathie chez ses habitants, un

désenchantement endémique qui se répercute sur
la vie courante.

Les branleurs qui se risquent dans ce coin viennent principalement des autres pays de l'Est. Les
Occidentaux y sont rares et ont été amenés par le
mythe de Dracula. Ils consacrent deux ou trois
jours à la visite de la région, espérant apercevoir
un vampire dans les sombres clairières ou parmi les
ruines d'anciens châteaux ; puis, comprenant qu'ils
l'ont dans le cul question folklore, ils rengainent
leur Nikon et jouent cassos.

L'établissement où nous créchons se divise en
deux parties : l'une réservée aux autochtones, la
seconde aux « voyageurs ». Cette dernière se sub-
divise en chambres pour pensionnaires et en
constructions annexes louées par les estivants « longue durée ». C'est l'un de ces logements (que je
n'ose qualifier de bungalow) que nous occupons,
mes deux sbires et moi ; ce qui explique que je
n'eusse pas encore croisé la famille Béru depuis
mon arrivée. Le confort y est chichois. Deux chambres, avec un lavabo dans chacune d'elles où l'eau
chaude est tiédasse et l'eau froide marronnasse.
Des gogues communs à tous les cabanons (aux
heures de boyasses en détresse, beaucoup de pensionnaires vont se libérer en forêt) constituent l'édifice le plus coquet du complexe, avec sa porte
peinte en bleu et percée d'un cœur romantique.
Afin, je pense, d'en exalter les mérites, on a planté
autour de ce chalet de nécessité de superbes hor-
tensias, si bien que ce lieu consacré à la défécation
collective est le seul qu'on souhaiterait habiter.

Allongé sur mon méchant lit de fer qui grince

comme quatre étages d'hôtel de passes lorsque je
remue, je dresse un bilan désenchanté de la situation.

Pourquoi diantre ai-je accepté cette mission unique en son genre ? Parce que c'est le Premier minis-
tre en personne qui me l'a demandé ? Oui, hein ?
Je me suis fait baiser à la gloriole, une fois de plus !
La cocarde, toujours, l'Antonio. Je te répéterai
jamais assez : mon modèle ? Le député Machin
(Baudouin, Baudin, j'ai un trou). « Messieurs, voilà
comment on se fait tuer pour quarante sous ! » Ça
procède de la folie douce. Ta peau pour un instant
d'épate ! Mais j'aime. Ta *mother* t'a élevé au lait
Guigoz, tu t'es fait chier pour passer ton bac, t'as
été reçu premier à ceci cela, *with* les congratula-
tions du jury et tu vas te faire éclater la tronche
pour épater trois pelous de mes fesses ! Plus nœud
volant personne ne peut ; c'est trop tout. Mais mourir d'amour ou pour la France, mourir d'un chouf
ou d'orgueil, où est la différence, Hortense ? Ta garcerie de peau est à ta disposition ; c'est ton unique
bien en ce monde. Alors si ça te chante de la transformer en ballon rouge dont tu lâches la ficelle,
c'est TON problo, mon mec. Ce qu'en pensent les
autres est conchiable, nul et non avenu, tu
comprends ? Là est ta seule véritable liberté.

Et que donc, pour t'en revenir, le Pommier sinistre en personne me mande. Discours. Style : « Mon
cher, tout bien examiné, il n'y a que vous qui puis-
siez réussir cette telle mission ! » Déjà, j'humecte
la poche kangourou de mon slip, d'un tel langage,
tu penses bien ! *Y a que vous !* On t'a déjà virgulé
une déclarance comme en pleine poire, tégus ?

C'est plus fort que quand la princesse Anne te lèche les couilles en te filant un doigt dans le fion (après avoir retiré ses bagues bourrées de carats, pas t'écorcher, œuf corse). Illico, ça te trémulse les glandes orgueillales.

« — L'homme a la réputation d'être un dangereux névropathe, a enchaîné le destinateur national. Le bruit court qu'un homicide ne lui fait pas peur et il traîne avec lui une légende soufrée. Pour l'appâter sérieusement, il n'est qu'un seul moyen : cultiver sa marotte relative aux diamants du shah d'Iran. Si vous étudiez bien son problème et parvenez à l'approcher en lui parlant le bon langage, il est probable que vous arriverez à forcer sa confiance. Alors, sans doute, pourrez-vous remonter jusqu'à l'affaire qui nous intéresse. Les joyaux d'Iran, est-il besoin de vous le préciser, nous laissent froids : nous ne sommes pas des pilleurs d'épaves. »

Ces phrases résonnent encore sous ma coiffe.

J'ai relevé le gant, ou le défi, ou le pan arrière de ma limouille, comme tu voudras, et me suis laissé mettre profond.

Et à présent...

A présent, merde !

Le maréchal Montgomery avait plus beau chpil pour niquer Rommel à El Alamein.

Ma chambre pue l'humidité ; une odeur qui m'a toujours fait penser à la mort.

Voilà que ma lourde ouverte à la volée va écailler le plâtre du mur. Blint surgit, son visage de fouine est assombri par une expression mauvaise.

— Où est Howard ? aboie-t-il kif un chacal enrhumé.

Tiens, il lui est venu deux vilains boutons rouges sur la gueule, pareils qu'à un qui a mangé des conserves périmées.

Je le mate d'un air peu amène, ainsi qu'on exprime dans les *books* briqués au polish.

— Qu'est-ce qui vous arrive, vieux ? lui fais-je d'un ton d'ennui. Vous ne me l'avez pas donné à garder !

— Il devait aller en forêt, lui aussi ! éclate la fouinasse survoltée.

Ici, le Maure me monte au nez, comme on dit puis dans Othello.

Je saute de mon plumard et marche sur Blint avec le visage d'un gusman qui en a marre d'être emmerdé par un roquet sans pedigree et qui décide de passer un *drop-goal* en lui savatant le trouduc.

— Vous commencez à me bassiner le dessous des testicules, lui dis-je. Je n'admets pas qu'on me parle sur ce ton, et si vous continuez, je vais lancer un coup de fil à Monseigneur pour lui demander de rappeler ses toutous ; je ne tolère pas d'être emmerdé quand je travaille. On a sur les bras une mission qui n'est pas une partie de plaisir. Je veux bien risquer ma peau et ma liberté, mais à condition qu'on me laisse agir sans miner mon parcours ; compris ?

Ça lui fait ce que j'escomptais et même un peu plus. Le voilà qui rengracie instantanément et devient gentil comme la serveuse d'un salon de thé suisse.

— J'avais rendez-vous avec lui, et il n'est pas venu, bredouille ce zigus brusquement démonté.

— Que voulez-vous que j'y fasse, Ducon ?

— Eh bien, je ne trouve pas ça normal.

— Moi non plus, mais qu'y puis-je ?

— Je... je crains qu'il ne lui soit arrivé quelque chose.

— C'est probable, en effet.

— Mais quoi ? bafouillasse le petit crevard aux boutons.

— Comment le saurais-je ; il s'y rendait dans quelle intention ?

Non-réponse du zig. Et pour cause ! Il lui est difficile de m'annoncer que son acolyte me surveillait.

— Vous ne l'avez pas aperçu ? se risque-t-il, déjà moins belle queue (comme dit Béru pour « belliqueux »).

— Non. J'aurais dû ?

Il hoche la tête.

— Allons dîner, conseillé-je ; il arrivera probablement pendant ce temps-là et nous expliquera la raison de son retard. Après tout, peut-être s'est-il perdu ? Vous connaissez l'histoire du Petit Poucet ?

C'est pas qu'il aime la jaffe, le jockey, mais la picole, il déteste pas, surtout quand il est loin du prince. Pour lui, c'est un peu la récré, de se trouver à quelques milliers de kilbus du palais, aussi en profite-t-il pour se maquiller l'intérieur au whisky (fabrication nationale). Il l'écluse comme moi de la bière, dans un grand verre plein à ras bord. Une nature !

Aujourd'hui, c'est fête. De quoi ? De qui ? Je

l'ignore. En tout cas ça festoie dans le landerneau.
A l'auberge, l'alcool coule abondamment et deux
musicos travaillent de l'accordéon et du saxo en
virtuoses.

A distance, je regarde Berthy dans ses œuvres.
Elle boute-en-traine avec les militaires de la forteresse, réservant sa séduction au gradé déjà mentionné. Un type qui a le gabarit de la cathédrale de
Chartres, avec une forte moustache du genre celle
des poilus de la Quatorze au départ.

L'homme en question (en anglais : *in question*)
mesure cinq pieds six pouces et tu lis sa force sur
sa gueule, aussi clairement que sa connerie.

Mon compagnon, murgé comme toute la Pologne, ne pense plus à son coéquipier. Je l'emmène
au dodo sans difficulté, pousse la magnanimité
jusqu'à lui retirer ses tartines ainsi que son bénoche. Ensuite de quoi j'éteins la lumière et retourne
au musette afin de capter la situasse sous tous ses
angles.

La mère Berthy est la reine de la fête. Juchée sur
un bout d'estrade, elle exécute un french-cancan
qui ferait dégobiller de jalousie les jolies demoi-
selles du Casino de Paris.

Sa jupe paysanne virevolte autour de sa taille.
Comme la dame ne porte pas de culotte afin que
sa babasse puisse « respirer à l'aise », elle est le centre d'intérêt de la soirée et les hommes se bouscu-
lent pour se placer au premier rang.

Béru qui m'a retapissé, me rejoint, l'œil allumé,
la pommette d'api, les lèvres dégoulinantes.

— On dira c'qu' tu voudras, dit-il, plus épanoui
qu'un dahlia en train de se flétrir, mais ma Berthe

est tunique. La manière qu'elle te fout une ambiance, tu croives une vraie professionnelle !

Je ne lui demande pas de quelle profession il veut parler.

— Où en es-tu de tes renseignements, Gros ?

— Ça carbure. L'un des gus de la garnison jacte le français aussi bien que moi. D'après s'lon c'qu'y m'a causé, y crèchent à la prison : au reste-chaussé. Les prisonniers occupent l'premier laitage. Les gardiens sont tous célibataires. Y sont par quatre dans les logements ; j'peux m'gourer, mais c'est un' planque d'père d'famille que matoner dans c't' pension. Y aurait qu'une dizaine de taulards, des politiques, uniqu'ment. Si bien qu' pour c'qu'est du boulot, ça baigne.

Là-bas, sur le petit praticable, la Baleine se livre à mort. N'hésite pas à rester troussée pour exhiber sa babasse babineuse à ces messieurs congestionnés. Tu croirais un film porno teuton. Elle ferait carrière chez les tronches carrées, la grosse vachasse !

— Alexandre-Benoît, dis-je, de ce ton pénétré qui galvanise les individus primaires, ce sera cette noye ou jamais !

— Quoice ?

Poursuivant ma poussée irrésistible, je continue :

— Qu'on va tenter le coup. A cause de la fête, la plupart des gardes seront gelés. Berthy doit absolument se laisser emporter dans la citadelle. Je vais lui remettre ce qu'il faut pour neutraliser ces bonshommes. Quand elle aura épongé son moustachu, elle agira. En ton âme et conscience, la crois-tu capable de suivre à la lettre mes instructions ?

— T'es injurieur d'm'poser la question, grand !
C't'un êt' d'élitre, ma femme. Ell' est d'la race à
Jeanne d'Arc, Maâme Curie, Simone Vieille !

— Alors, quand elle aura terminé ses conneries
scéniques, dis-lui de me rejoindre aux gogues pour
y recevoir mes instructions.

Le Mastard bandonéone du frontal.

— Aux chiottes ! grommelle-t-il. Tu s'ras corré-
que, j'espère !

20

FAUT PAS DÉCONNER, RENÉ.

Sur les testicules de deux plombes *of the morning,* la fête ne battit plus son plein, faute de festoyeurs en état. Peu avant dix heures, il y eut une relève de la garnison à l'auberge. Les gardes ivres allèrent prendre leur turbin, vite remplacés par ceux dont les prestations à la citadelle venaient de cesser. Pour ces derniers, Berthe renouvela son numéro de cancan-sans-culotte qui obtint un succès aussi vif. Seul le gradé moustachu était resté. Il se faisait de plus en plus pressant avec son Isadora Duncan française, allant jusqu'à la prendre sur ses genoux et lui palper la cressonnière devant ses hommes admiratifs.

La soirée dodelina. Les ivrognes les plus avancés s'écroulèrent, emportés tant mal que bien par ceux qui pouvaient encore mettre un pied devant l'autre. Vint enfin l'instant du couvre-feu, décidé par les aubergistes, un couple d'ours pas léchés du tout qui paraissaient ne prendre aucun plaisir aux festivités qu'ils avaient cependant (d'oreilles) organisées. Car

telle est l'existence : au bal, les musiciens ne dan-
sent jamais.

L'euphorie mourante profita à Alexandre-
Benoît que le chef, bonne âme, convia également à
la caserne. Je compris dans ma grande sagesse fortement étayée par l'expérience, qu'on se fait cou-
ramment une fausse idée des choses et des gens. La
perspective d'une rébarbative citadelle transformée
en geôle invitait à la croire inexpugnable, alors
qu'en fait il s'agissait plutôt d'un endroit oublié,
hébergeant des prisonniers auxquels personne ne
pensait plus, les événements qui les avaient
conduits là ayant depuis déjà lurette cessé de pas-
sionner les Roumains. Les Ceauşescu, rondement
jugés et mis à mort, généraient une indifférence qui
s'étendait à ceux qui vivaient encore après avoir
participé à leur sanglant régime. Bref, la vie continuait avec son cortège de nouveaux problèmes.

La forteresse Bistroka n'intéressait guère que
ceux qui avaient à charge de la faire fonctionner.
Tout un chacun s'y plumait à ne plus en pouvoir,
donc devenait d'un laxisme de fraisier (1). Ce qui
t'explique en grande partie, mon lecteur impres-
criptible, l'aisance avec laquelle le Cheval de Troie
constitué par les Bérurier s'introduisit dans le féo-
dal bâtiment carpatien.

Je fus rassuré de voir le Mastard accompagner sa
dame pétassière.

_____

(1) Nous avons demandé à notre célèbre auteur ce qu'il entendait
par un « laxisme de fraisier ». Il nous a répondu que tel était son bon
plaisir et qu'il était grandement inutile de lui casser les noix avec une
telle question.

                                        Les Editeurs.

Sa Majesté est un être d'action et sa profonde connerie hérédito-sédimentaire n'a jamais entravé son indomptable énergie. S'il m'est devenu indispensable, au long de ma carrière, c'est par ce côté flic surdoué en qui l'absence de toute intelligence (il est seulement madré) rend facile une totale disposition.

Au cas où cette phrase te resterait absconse, tu n'aurais qu'à écrire de ma part à M. Jean Dutourd qui se ferait une joie de la mettre à ta portée sans trahir cette langue française dont il est l'un des serviteurs les plus zélés.

Seul dans ma chambre, je me fais l'effet de ces fauconniers d'antan qui lâchaient leur rapace sur une proie et attendaient le résultat en caressant le trou du luth de leur belle.

Les ronflements de Blint, dans la pièce voisine, me font songer à cette course de Formule I à laquelle j'ai assisté, il y à peine naguère en Ritalerie. Fallait se filer des boules dans les coquilles pour ne pas saigner des tympans. Un qu'a pas connu Monza en est resté à la course de chars de Ben-Hur.

J'évoque les péripéties périphériques de ces dernières heures. Le connard d'Apollon-Jules qui tombe d'un arbre en jouant les dénicheurs, le vilain Howard qui, peu après, choit du sien parce que le Gros lui a ajusté un gadin dans la trombine ! *Bis repetita placent,* comme dit un videur de poubelles opérant dans mon quartier.

Je revois la soirée endiablée, avec la grosse Bertha donnant du pétrousquin pour allumer les fêtards, y parvenant au-delà de toute espérance.

C'est à présent que les choses sérieuses ont lieu. Si j'avais un autre cierge que celui qui fait l'orgueil de mon Eminence, je l'allumerais pour la réussite de ce coup de main brusqué, improvisé même !

Et puis, des évocations récentes je passe au futur imminent. Ça se met à bouillonner sous ma bigouden. Tant de gros, d'épineux problos à régler !

Je suppute ! Gamberge à bloc. Dieu sait que je le sollicite fréquemment mon brave cerveau, pourtant, ce que je lui réclame cette nuit est de toute exception.

A un moment donné (mais qui vaut de l'or), je vais chercher une carte routière dans notre tire. Elle est craquelée peau de caïman à force d'avoir été examinée, manipulée, dépliée, mal repliée. Je l'étale sur mon plumzingue et me mets à l'étudier de près.

N'en fin de comte, selon la formule des sansculottes sanguinaires, j'établis un itinéraire à l'intention des Béru, dans l'hypothèse où ils réussiraient leur coup de main.

Puis je me consacre à un second aspect de l'affaire qui est, à mes yeux de lynx, le plus important : mais je t'en causerai en temps utile.

Ce deuxième volet de mes préoccupances m'incite à explorer de fond en combles (surtout) notre bungalow.

Homme d'une grande sagacité, j'en effectue le tour de l'extérieur. Cet examen établi, je m'assieds sur un banc de fortune taillé dans une souche. La nuit est fraîchissante, une lune bien portante l'éclairerait davantage si le vent ne nous apportait des cohortes d'énormes nuages gris qui ont la silhouette d'Alexandre-Benoît...

L'anxiété me fait gesticuler le guignol. En v'là un, espère, qui n'est pas dressé à la fainéantise, comme répétait mémé. Lui et ma bite, même combat ! Ça, c'est moi qui l'ajoute, naturellement.

Les minutes tissent des heures, et puis, enfin, soyez-en loué, Seigneur que je ne parviens pas à tutoyer, bien que l'Eglise nous en donne l'exemple, le retour des Bérurier s'opère dans le silence nocturne, à peine entrecoupé par les pets que le Mahousse offre à l'air vivifiant des Carpates.

Ils ne sont pas deux, mais trois.

Ayant potassé mon « affaire », j'identifie, en la personne qui les accompagne, le général Gheorghi Dobroujda soi-même.

Je lui adresse un salut qui ne me part pas du cœur car cet escogriffe est aussi sympa qu'Attila avant qu'il reçoive la pâtée aux champs Catalauniques.

Pour l'instant, c'est le Gravos qui a droit à ma sollicitude.

— Un triomphe, mec ! l'applaudis-je. Tout a bien roulé ?

— Un v'lours ! Faut dire qu' ma Berthy s'est surpassée. A s'est embourbé quat' gonziers n'a sute. Moive, pendant c'temps, j' droguais les aut' à la bibine soporifiée. A c't'heure, si tu trouvererais un seul garde d'bout su' ses fumerons, j't' paie une mont' en jonc d' chez Cartier.

— Les autres prisonniers ?

— Comm' t'as dit : on leur a donné à tous la clé du champ d' tire et, à part le général Moncul ici présent, sont en train d' jouer rip à travers la cambrousse, n'a l'exception d'un vieux kroum qu'est su' l'flanc et qu'a pas voulu s'tailler.

— Chacun fait ce qui lui plaît ! chantonné-je. Maintenant, vous allez quitter la Roumanie par l'itinéraire que je t'ai préparé. Au départ vous aurez un peu de montagne à vous respirer, néanmoins, selon mes estimations, dans trois heures au plus tard vous serez en Hongrie. Si par hasard vous vous faisiez arrêter, battez à Niort : vous ne savez rien. O.K. ?

Là-dessus, je fais signe au général de me suivre. Nous gagnons mon bungalow lequel comprend, outre les deux chambres, un coinceteau servant de réduit. Il existe une trappe exiguë dans le plaftard dudit, permettant d'accéder à une étroite soupente à peine haute de quarante centimètres dans sa partie centrale.

— Il va falloir que vous vous introduisiez là-dedans, général, lui fais-je d'un ton sans réplique. Votre salut est à ce prix. Surtout pas un bruit car je ne suis pas seul dans cette baraque. Sitôt que la chose me sera possible, je vous ferai passer de la nourriture. Tout ce que je puis vous proposer pour le moment c'est cette bouteille d'eau et cette couverture.

Puis, je croise mes mains pour lui en faire un marchepied.

Il me regarde :

— Qui êtes-vous ?

— Mon nom ne vous dirait rien ; mais pour l'homme qui m'escorte, je suis censé être Tiarko Gheorghiu, un ancien compagnon à vous. Surtout, quoi qu'il arrive, ne vous coupez pas ! Allez !

C'est chouette, un général qui t'obéit ! Malgré sa détention, il est demeuré très souple et n'a aucun mal à se glisser par l'ouverture.

— Ajustez le couvercle ! lui enjoins-je.

Il s'exécute.

Une fois le cadre de bois remis en place, et compte tenu de l'obscurité du réduit, bien malin qui découvrirait cette planque.

On toque.

Je réponds à Béru, en tenue de touriste : short descendant aux mollets, chaussettes montantes, brodequins éculés, maillot de corps à grosses mailles, appareil photo.

— Ben v'là, mec, fait-il, mission remplite. On va n'essayer de passer la frontière avant qu'ces nœuds volants se réveillassent.

Je lui donne une vibrante accolade malgré son fumet rappelant des venaisons attardées loin des chambres froides.

— Merci, murmuré-je en grande simplicité qui n'exclut pas une larme avortée.

Il s'en va dans la noye ventée en déclarant :

— La bibise de la part à Berthe : elle finit d's' briquer l'fion c'qu'est pas du sperflu av'c c' que ma pauvrette s'est morflé dans les baguettes !

21

ELLE PREND DE LA CRAQUETTE,
HUGUETTE.

Nuit calme malgré les événements. Je dors du sommeil du machin. Dans sa petite mansarde, le général Dobroujda ne fait pas davantage de bruit qu'un pet de nonne sur un prie-Dieu garni de velours. C'est cette enfoirure britannouille de Blint qui m'éveille. Torse nu, avec des poils d'un roux gerbant sur sa poitrine de petit gredin. Le cheveu ébouriffé, une barbe de dynamiteur d'Amérique centrale, la bouche amère, le regard aussi cordial que celui d'un renard venant de morfler une décharge de chevrotine dans les roupettes.

— Et Howard ? il m'apostrophe.

Je bâille à lui en découvrir la face cachée de mon intestin grêle.

— Dites, l'ami, vous n'allez pas recommencer votre sérénade d'hier ! lui dis-je d'une voix réduite aux aguets. Si votre comparse s'est fait niquer par un piège à ours, je n'y peux rien !

— Il faut prévenir le prince !

— Eh bien, prévenez-le, mon vieux, et ne me les

cassez plus avec votre zozo. Vous n'attendez pas que je pleure son absence, si ? J'ai vécu avant de le rencontrer et je vivrai après.

Furax, il sort, probablement pour se rendre aux tartisses. Moi je vais me passer un peu de baille sur le minois. N'ensuite j'enfile ma robe de chambre et mes savates afin de rejoindre la maison mère pour un petit déje dont j'ai grand besoin.

Si tu penses que ça effervesce dans la baraque, tu te goures. Calme d'une platitude si totale que tu te croirais dans un *book* de la collection *Ado à deux,* style : *C'est meilleur avec trois doigts* ou *Minette et sa cousine Lucie.*

Je regarde le beffroi de ma Cartier : neuf heures douze. Il y a fort à parier, comme on disait jadis, que les Bérurier se trouvent en Hongrie où ils pourront faire leur plein de goulasch.

Puis je gagne la salle à manger de l'auberge décorée de pyrogravures sur écorce d'un très bel effet. Un couple roumain, gens âgés qui n'ont pas participé très longtemps à la soirée endiablée de la veille, pitance silencieusement près d'une fenêtre. Les vieux époux n'ont plus rien à se dire en dehors des maux dont ils souffrent. Je les salue d'un signe évasif et ils me répondent avec la même fougue. M'empare de la deuxième fenêtre.

Une vieille servante aux cannes torses m'apporte un plateau lesté du bouffement matinal classique : café, lait, rôties, beurre et miel. J'attaque à l'arme blanche, dérouté par l'apathie ambiante. J'imaginais ce début de journée très autrement.

Le *bread* est grossier comme moi. C'est ainsi que je l'aime. Je raffole de ces gros pains de campagne

tout gris avec une croûte pareille à de la peau d'éléphant. Mon côté bouseux, toujours. A Saint-Chef,
il était un peu commak, le bricheton. De belles
roues lourdes sur lesquelles on traçait un signe de
croix avec la pointe du couteau avant de les atta-
quer.

— Je peux déjeuner avec toi, tonton Antoine ?
demande un organe juvénile.

Je me retourne et c'est kif si je découvrais la reine
de Hollande et des Pays-Bas en tutu.

Tu sais quoi ?

T'as tout de suite compris qui ?

Ben oui, mon ami : Apollon-Jules, le surdoué de
la branlette !

Il porte un pyjama une pièce, style combinaison
de coureur automobile, sur lequel d'ailleurs il y a
écrit Ferrari en lettres noires sur fond rouge, orné
d'une superbe auréole sur le devant car ce tocasson
fait de l'incontinence nocturne. La devise de Béru
dernier est la même que celle de ses aïeux : « Jaune
devant, marron derrière ».

— Tttttoi ! libéré-je-t-il comme dans les romans
de capes et de pets.

— Hein, dis, tonton Antoine, tu veuilles qu'je
déjeunerais av'c toi ; p'pa et m'man sont pas là.

— C'est la deuxième fois ! grommelé-je.

— Quoi, tonton ?

Déjà en Finlande, il y a des, ils avaient oublié
leur chiare, les infâmes ! Ô Seigneur, qu'est-ce qui
Vous a pris d'accorder le privilège d'enfanter à un
couple aussi dénué de ses responsabilités les plus
sacrées ? Répondez-moi, je Vous conjure ! Que je
finis par fatiguer de toujours Vous poser des ques-

tions auxquelles il me faut trouver des réponses qu'aient pas l'air trop tartes !

Et puis, brusquement, c'est l'illumination. Je mords le parti à tirer du gag. La présence de l'enfant à l'auberge accréditera l'idée que ses parents ne sont pas en fuite, mais qu'ils sont allés excursionner.

Je demande à la serveuse déclavetée d'apporter le petit déje du môme.

Elle opine :

— Une omelette de six œufs, du lard et du fromage comme d'habitude ?

— On ne change rien à une équipe qui gagne ! lui réponds-je, sibyllin.

Il a briffé. Je lui ai fait faire sa toilette (chose qui n'a pas eu l'heur de le botter) et maintenant je m'attaque à sa maquette d'avion qu'il n'avait pas encore sortie du paquet. Cadeau de tonton Pinaud. Faut bien être un vieux nœud coulant style César pour offrir ce machin à un petit connard tel qu'Apollon-Jules. Y a que les gonziers sortis de l'« X » qui arrivent à construire ce genre de truc ! En tout cas pas les manches genre ma pomme, anti-bricoleur à se déféquer parmi. Un Fokker de la 14-18, si tu te rends compte ! Bonjour les dégâts !

Je suis aux prises avec des chiées de petites pièces ridicules lorsque mon dernier coéquipier, le chafouin Blint, me jaillit sur les endosses avec un regard pareil à un filet de vinaigre à l'échalote sur une belon.

Il me lance avec l'air honnête et franc d'un reître dans un film de mousquetaires :

— Téléphone ! Le prince !

Trois mots bourrés d'explosifs. Il doit suinter de la bitoune dans ses braies anglaises.

Je lui décoche un sourire tellement radieux qu'il ferait éclater un baromètre. Puis me dirige vers la cabine antédiluvienne logée au fond de la salle.

Je décroche.

— J'écoute ?

Sa Majesté est dans tous ses états, si tu me permets. Elle grince :

— Vous allez me dire immédiatement ce qu'il est advenu d'Howard, monsieur Tiarko !

Je flaire la grosse crise. En me parlant, il doit regarder depuis son burlingue les eaux bleues du détroit de Gibraltar en rêvant de m'y faire précipiter, chaussé de béton.

Et moi, du talc au talc, comme dirait cet endoffé d'Alexandre-Benoît :

— Je ne vous dirai pas ce que j'ignore, mais seulement ce que je sais, Monseigneur. Pour commencer, laissez-moi vous faire observer que vous ne m'avez pas donné vos deux guignolos à garder, ce serait plutôt le contraire, n'est-il pas ?

Mon calme le déroute. Il ne souffle plus mot. Alors je reprends d'un ton âpre :

— Je me serais bien passé de ces imbéciles qui, avec leurs allures troisième couteau, se font repérer à cent kilomètres. Pourtant, j'ai réussi, à leur insu, la première partie de mon programme.

Il émet une exclamation escamotée, puis chuchote :

— Vous avez pu approcher le... l'intéressé ?

— Mieux que cela, Monseigneur.

— C'est-à-dire ?

Je baisse la voix et articule :

— Il est à ma disposition, Monseigneur.

— Vous dites vrai ?

— J'ai toujours considéré le mensonge comme une perte de temps déshonorante.

— Comment avez-vous procédé ?

— Il n'est pas opportun d'entrer dans un tel récit là où je me trouve.

— Et Blint l'ignore ?

— J'ai agi pendant qu'il était ivre mort. Ne serait-il point d'origine écossaise ? Il a une propension au scotch qui le donnerait à penser. Pour tout vous avouer, je me méfie de lui ; non que je le soupçonne de traîtrise, mais de stupidité, certes oui !

— Je l'écorcherai vif ! déclare sourdement Soliman Draggor.

— Que feriez-vous d'une aussi piètre peau, Monseigneur ?

Un nouveau temps de réflexion chez mon terlocuteur.

— Je suppose, monsieur Tiarko, que vous ne me racontez pas là une fable ? fait-il d'un ton qui te démange l'autour du rectum et te coule du fluide glacial dans les cages à miel.

— Monseigneur, dis-je-t-il, puisque vous doutez de moi, je vais montrer l'homme à Blint qui vous confirmera la chose, d'accord ?

— Faites.

Tu vois, la confiance règne ! Mais quand tu es un fumelard de ce calibre, tu n'accordes de crédit à rien ni à personne, pas même à ton miroir.

J'adresse un signe au primate, plein d'autorité. Il me suit.

Quelques seconde plus tard, je toque à l'aide d'un manche à balai le trappon du galetas.

— Mon général, appelé-je, vous voulez bien vous montrer un instant ?

Le semi-prisonnier obéit et son visage blafard de concentrationné paraît par l'ouverture. Il tressaille en voyant que je ne suis pas seulabre.

— N'ayez crainte, le rassuré-je, monsieur ne nous trahira pas.

Blint et le détenu échangent un long regard dévisageur.

— C'est tout, mon général, vous pouvez refermer. Dans un moment nous vous apporterons une collation.

Je frime le macaque. J'ai déjà eu sous les yeux des exemples d'ahurissement forcené, mais des comme le sien, j'ai beau davantage réfléchir que toute la Galerie des Glaces, je crois que c'est le premier.

— Allons rappeler le prince, tranché-je, et confirmez-lui que Gheorghi Dobroujda est bel est bien à ma disposition. Ensuite, essayez de vous comporter en fonction de la situation : je n'ai pas envie de finir ma vie dans un cul-de-basse-fosse !

Tu vois, les êtres les plus belliqueux, les plus puants, les plus merdiques, tu les domineras toujours si tu emploies la manière forte. Ils sont pareils aux catins de jadis : ne comprennent et n'aiment que les tartes dans le museau.

Le voici plus docile qu'une vieille pantoufle.

— Comment avez-vous fait ? me demande-t-il

tandis que nous retournons à la cabine tubophonique.

Non, qu'est-ce qu'il imagine, Toto ? Que je vais lui tartiner mes mémoires et qu'il n'aura plus qu'à les signer avant de les adresser à mon éditeur ?

— Je te raconterai ça ainsi que beaucoup d'autres choses, un soir, à la veillée, promets-je.

De nouveau, Sa Majesté Mon Paf. La penauderie de son âne damné lui fait piger que je disais vrai avant que l'autre ne se mette à jacter. Aussi est-il tout loukoum quand je réempare le combiné.

Il n'a qu'un mot, mais suffisant pour porter ma vanité à l'incandescence :

— Bravo !

— Ce n'est que le début, Monseigneur, assuré-je avec une fausse modestie de vieux cabot venant de déclamer la tirade de Ruy Blas à une fête de charité.

— Que comptez-vous faire ? demande Draggor.

— Attendre, Monseigneur.

— Vraiment !

— Dans une situation comme la nôtre, il est de toute urgence de prendre son temps. L'immobilisme est une preuve d'innocence. Nous savourons des vacances salubres, ignorons tout des événements de cette nuit et, si nous les apprenons, n'en aurons cure. Lorsque le délai me semblera suffisant, alors là, oui, nous nous mettrons sérieusement au travail.

— Vous pouvez dès maintenant « interroger » le général ?

— Sûrement pas. Il est indispensable qu'il nous considère comme des partisans communistes liés à sa cause. Tant qu'il nous croira ses alliés, il se montrera docile. Mais à compter de l'instant où il réaliserait nos intentions, son attitude deviendrait hostile et risquerait de nous faire perdre la partie. Je n'agirai qu'en ayant les coudées franches !

Un silence dont il a le secret, puis :

— Faites à votre guise, mon ami. Faites !

22

ÇA SENT L'HUMUS, PETRUS.

Duchesse vivre encore cent ans, comme disent les bonnes gens de mes fesses, je n'oublierai pas l'étrange période que je vécusis à l'ombre de la forteresse. Pendant plusieurs jours, il y régna une atmosphère pesante. Des ordres venus « d'en haut » firent que cette évasion générale ne fut pas ébruitée. Top secret ; affaire d'Etat ! Il y eut un grand concours policier venu de Bucarest, mais ces fonctionnaires se déployèrent avec un maximum de discrétion. Dans le pays, on parla « d'une » évasion. Sans préciser l'identité de l'évadé. Ce sauve-qui-peut restait inconnu du public. Toute la garnison demeurait consignée et l'auberge perdit provisoirement sa clientèle militaire.

Des draupers vinrent investiguer à l'auberge et procédèrent à une visite, heureusement sommaire, des lieux. On posa des questions à propos des Bérurier, mais les « enquêteurs » durent ignorer l'abandon de leur fils car pas un instant il ne fut question d'Apollon-Jules. Le couple d'infâmes ne semblait

d'ailleurs pas fasciner les bourdilles. Je crus
comprendre qu'on récupéra un certain nombre
« d'évadés », gens plus hébétés par leur brusque
liberté que ravis de l'aubaine. Sans ressources dans
cette région de forêts et de montagnes, ils ne pouvaient espérer grand-chose. Qu'un petit nombre de
prisonniers tardassent à se laisser reprendre ne
devait pas alarmer outre mesure les autorités.

Nous nous étions fixés un modus vivendi,
l'Anglais et moi. Lui, consacrait ses journées à la
recherche de son acolyte disparu, tandis que moi je
m'occupais de l'évadé et, accessoirement, du
môme. Deux fois par jour je cognais à la trappe sur
un rythme convenu, pendant que Béru junior jouait
l'andouille autour de l'auberge. Je passais quelques
denrées alimentaires au général, prises sur ma propre nourriture. Je me gardais de lui donner de
l'alcool qui aurait pu avoir pour conséquence de
l'inciter au tapage. Une puanteur de ménagerie
s'échappait de l'ouverture. Mais il n'existait aucun
moyen d'assainir sa tanière. Sa pauvre gueule devenait plus blafarde de jour en jour et il prenait un
regard d'oiseau nocturne dont la lumière est l'enne-
mie intraitable.

Je lui prêchais la patience. Les recherches se faisaient moins intensives et n'allaient pas tarder de
cesser. Alors je le planquerais dans le coffre de
notre voiture et nous quitterions la région.
Gheorghi Dobroujda ne répondait rien. Il y avait
en lui ce fatalisme qui finit par mettre l'homme à
l'abri de sa peur. Il subissait les événements avec
stoïcisme puisqu'il ne pouvait les contrôler. Il ne
parut éprouver quelque émotion que le jour où je

lui offris mon flacon d'after-shave. Certes, il n'était pas question qu'il se rasât, mais le parfum tonifiant lui fut d'un grand réconfort car il en but le contenu, comme toi un verre de Cointreau !

J'en marquai de la surprise pour commencer, mais très vite je me dis que s'il préférait se mettre mon Old Spice dans l'estomac plutôt que sur la gueule, c'était son problème et non le mien.

Dans Sa souveraine magnanimité, le Seigneur m'envoya, au cours de cette période indécise, un divertissement de qualité sous l'apparence d'un couple d'Helvètes vacanciers, plus jeunes et vivifiants que la Jungfrau. Ils n'avaient pas soixante ans à eux deux, comme on dit chez les simplets. L'homme possédait un profil de tennisman, des yeux clairs, un rire qui donnait envie de lui demander sa marque de dentifrice et des cheveux bruns bien plantés. Elle était blonde, bronzée et grande kif sur les magazines de mode. Les regarder constituait un régal dont je ne me privai pas.

Ils venaient de Neuchâtel et parlaient donc bien le français. Lui était peintre. Il vivait avec un carnet de croquis dans la sinistre et un crayon Caran d'Ache dans la dextre. Je lui demandis vite la permission de vérifier son talent. Il en possédait à coup sûr, ce qui me procure chaque fois un inexplicable réconfort. Il croquait la forêt, la montagne carpateuse, la citadelle, l'auberge et les grosses servantes aux regards bovidiens. Le propre du talent, n'importe la discipline pratiquée, consiste à exprimer beaucoup avec peu de moyens. En quelques traits, une cascade tumultueuse coulait sur son car-

net de crobards ; un personnage surgissait comme
par magie, dirait une grande romancière de mes
relations, promise à une belle carrière dans la cou-
ture.

Sa femme n'avait pas d'autres occupations que
de lire sans relâche la même page d'un livre qui la
faisait chier. Ce qui t'explique que je n'eus ni grand-
peine, ni grand mérite à la baiser près de la cascade
où nos pas nous conduisirent.

L'époux s'était attelé à dessiner la citadelle dont,
je le reconnais, la médiévalité pouvait se montrer
tentante pour un artiste. Sa ravissante épouse
blonde regardait la nappe mousseuse avec tant
d'attention qu'elle ne m'entendit pas surviendre.

Je l'abordis en lyrisme :

— Je crois, madame, que l'onde exerce sur vous
une fascination égale à celle que j'éprouve en vous
contemplant.

Elle me regardit, me souria, et repartit prosaï-
quement :

— Je cherchais à apercevoir des poissons. Il doit
y avoir des truites dans ce cours d'eau ?

Illico, le merveilleux morceau de Schubert se mit
à frétiller dans la soute à bagages de mon slip.

— Sans doute, fis-je-t-il, mais ne vous penchez
pas trop, vous risqueriez de glisser.

Joignant le geste à l'avertissement, je mis mon
bras autour de sa taille.

Il y avait de fortes chances pour qu'elle se déga-
geât, pourtant elle n'en fit rien et, bien au contraire,
sa hanche souple adhéra à la mienne.

Nous restâmes un bon moment ainsi, éclaboussés
parfois par l'impétuosité de la chute.

C'était un de ces instants de rare délicatesse qui font durcir les bites et mouiller les chaglates, ce que les poètes à la suce-mon-paf-mais-pas-trop-vite prétendent « de félicité ».

Félicité, mon chibre ! Je sentais sa chaleur m'investir et se joindre à la mienne, comme disait récemment le rémouleur de mon quartier.

Il arriva ce qui venait de se programmer entre nous : je lui roulis une langoureuse pelle à tarte qui poussa jusqu'à sa luette. Elle y prit goût, impétueusa du mufle, puis esquissa une demi-volte pour se plaquer contre moi et remonta son genou entre mes jambes musclées jusqu'à cette masse de bas morceaux qui, sans vraiment être le siège de ma vanité masculine, m'aide néanmoins à trouver l'existence tolérable.

Tu l'as compris, bouffi, il était temps de chercher un coin susceptible d'accueillir la vigoureuse étreinte dont nous étions tacitement convenus. Une cabane, que je supposis être de cantonnier, m'apparut entre les arbres. Nous y fonçâmes. Le cadenas qui la protégeait ne pouvait endiguer un couple saisi d'un tel rut. Je le fis sauter d'une seule main. La porte céda aussi vite que l'avait fait l'épouse du peintre. Nous entrâmes en trombe dans cet appentis grossier, obscur et alourdi d'âcres remugles.

En personne soucieuse de ménager ses effets, elle ôta sa fraîche robe de lin (étoffe froissable entre toutes), et ensuite une culotte que je devinais exquise dans la pénombre. En Suissesse éprise d'hygiène, elle ne s'allongea pas sur le sol inepte, donc inapte, mais me tourna le dos, plaça ses longues jambes en fourche, prit appui des deux mains sur ses genoux, m'offrant en un total et charmant abandon, l'un des plus délicats trésors que la vaillante Helvétie est en mesure de proposer à un garçon que l'on dit être le Von Karajan du chauve à col roulé.

Elle en prit, non pour son grade, mais de quoi noircir dix pages du cahier où elle consignait ses souvenirs de vacances.

Contrairement à ce qu'un valet de ferme, voire un Prix Nobel de physique pourraient penser, je ne l'emplâtrai pas d'entrée de jeu, oh ! que non ! Agenouillé là où il convenait de l'être pour accomplir mon dessein, je la préliminai d'une tyrolienne à cresson qu'aucun jodleur des Alpes d'Europe centrale ne poussa jamais. Ce fut une telle réussite qu'à peine ayant vidé ses ballasts, elle m'implora de réitérer ; ce à quoi je souscrivis incontinent, au prix d'un torticolis que je te raconte pas ! Fort heureusement, sa seconde livraison fut acheminée dans les meilleurs délais.

Elle émit une majestueuse plainte qui me fit évoquer celle de la baleine en frai. J'en profita pour tenter de redonner quelque souplesse à ma nuque surmenée en me tenant à quatre pattes et tête basse. Ce faisant, je sentis sous ma paluche gauche un objet froid et élastique que j'identifiai rapidement comme étant une autre main.

Instantanément, j'oubliai mon torticolis et me pris à investiguer à l'insu de la belle Neuchâteloise. La pogne dont je viens de te faire état était de gauche, un poignet la prolongeait, lui-même assuré d'un avant-bras. Le reste s'en allait sous des branchages.

J'eus alors un comportement d'une inouïsité sans pareille !

Je me releva, fis pivoter ma conquête et, mettant à profit ma rude érection qui perdurait, lui plantai mon trognon de chou là où il était inévitable qu'il se rendît.

Ce fut, j'ose le dire, du délire. Cette femme qui possédait une taille identique à celle des fameuses pendules de sa ville natale, émit des sons qu'aucun appareil enregistreur n'aurait été en mesure de capter, ce qui est fort dommage pour le Musée de l'Homme. Et moi, pauvre de moi, qui tringlais sans perdre de vue cette main morte qu'éclairait la lumière rasante passant sous la méchante porte !

Conçois-tu cela, lecteur béni des dieux, sans lequel je serais contraint de faire du cannage de chaises pour assurer ma subsistance et celle de m'man ? M'imagines-tu, le sexe d'airain, en train de calcer une femme de peintre, sans doute talentueux, à la vitesse d'un rotor d'hélicoptère, avec ÇA sous les yeux ? Une personne dont j'ignorais le prénom mais savais déjà par cœur la manière dont elle bichait son fade homérique !

L'emportant dans une frénésie sans limites, les dents crispées, le regard fixé sur une main dont l'auriculaire s'ornait d'une chevalière que je reconnaissais pour l'avoir vue portée par le dénommé Howard, l'âme damnée de Blint. Ainsi, voilà donc ce que ce sac à merde de Bérurier appelait « faire disparaître le corps » du vilain vaurien ? Grosse loche, va ! Feignasse ! Poubelle de pays développé !

Je finis galamment la petite médème. Lui ramasse ses harnais et l'aide à les remettre.

Elle, détruite par l'amour intense, elle voudrait s'attarder, tu penses. Toujours, les frangines, après un pied de cette pointure ! Elle aimerait un final langoureux. Des mots d'amour, des promesses d'encore. Seulement, le grand vilain Sana n'a qu'une idée en tête : s'emporter le plus loin et le plus vite possible !

J'arrive enfin à évacuer ma Romande après l'avoir comblée.

La cascade est toujours là, avec son grondement simple et tranquille, ses bulles irisées, ses belles truites saumonées.

Tiens, à propos : dans ma précipitance, j'ai oublié de remettre le petit Nicolas dans sa chambrette.

23

TU TE DÉCULOTTES, CHARLOTTE.

N'à compter de cet instant tout à la fois étourdissant et morbide (peut s'écrire « mord bite »), je décidai de tailler la route au plus vite.

Les choses semblaient s'apaiser. Certes, des draupers en militaires et quelques autres en civils, continuaient de hanter la région, mais le briscard que je suis sait reconnaître le désintérêt qu'une affaire finit par engendrer. Un élément imprévu m'avait servi : « l'oubli » d'Apollon-Jules par ses chers parents. Les gargotiers taciturnes n'avaient pas précisé que le môme ne « m'appartenait pas » ; aussi, tout naturellement, les bourdilles crurent que j'en étais le dabe. Comme il est rare qu'un père de famille exécute des coups de main flanqué d'un garçonnet, la méfiance qu'ils avaient pu nourrir à mon endroit fit long feu.

Le soir de mon coït de gala avec l'exquise Suissesse, je prévins cet enfoiré de Blint que notre départ s'effectuerait le lendemain, aux aurores. J'en avisai également nos hôtes et leur réglai la facture sous le prétexte valable que nous allions décarrer à poltron-minette (Béru dixit).

A l'issue du repas, le peintre helvétique, à l'instigation de son épouse, je présume, nous convia à prendre un verre. Nous en bûmes bien davantage pendant que sa chère compagne, décidément insatiable, cherchait dans mon pantalon béant, une bite d'amarrage qu'elle n'eut aucun mal à découvrir. Restait pour elle à en tirer parti. Elle le fit, en prétextant qu'elle voulait me montrer les esquisses exécutées dans la journée par son grand artiste.

Généralement, ce sont les peintres qui vous font l'honneur de leurs œuvres, mais « le nôtre » était un homme modeste qui ne cultivait pas la flatterie. Il laissa donc son épouse me guider jusqu'à leur piaule et m'y pomper le dard à satiété tandis que je compulsais l'album de croquis.

Effectivement, il avait un talent certain. Tout comme son infidèle, il faisait dans le figuratif.

Malgré ma prestation de l'après-midi, j'eus une libération glorieuse qui, à ma grande honte, se répercuta en partie sur les dessins soumis à mon appréciation.

La dame s'en aperçut et rit de la chose, prétextant avec une impudence femelle que cela porterait bonheur à son Watteau neuchâtelois.

Après que nous eûmes bien bu et beaucoup parlé, nous prîmes congé de ce couple si liant. Je leur annonça notre départ aux aurores et la jeune baisée en fut profondément attristée.

Quand nous fûmes seuls, Blint me dit avec

aigreur qu'il avait parfaitement percé notre manège et compris que cette jeune épouse désœuvrée se faisait dinander le pot à perte de vue.

Il était jalmince car il aimait la brosse et avait les amygdales sud engorgées. En attendant qu'il retrouve sa vitesse de croisière, je décidai de préparer l'évacuation du général.

Le pauvre homme dormait dans son pestilentiel réduit.

Je l'éveillai, l'en fis descendre et lui conseillai de procéder à quelques ablutions au lavabo de Blint, car s'il avait usé du mien, il aurait pu réveiller Apo.

Il puait tellement que nous décidâmes d'abandonner ses hardes sur place. Je lui donnai des frusques à moi qui, sans lui aller vraiment, s'adaptèrent vaille que vaille à son corps amaigri. Il parut régénéré par son retour à l'hygiène. Avec mille précautions, je le conduisis à notre voiture et « l'installai », si l'on peut dire, dans le coffre. Certes, il dut replier ses jambes, pourtant il s'y trouva sinon à l'aise, du moins dans une position plus que tolérable.

L'imminence de la décarrade faisait briller son regard, et l'on sentait, chez cet homme floué par le destin, comme un regain d'espérance. Je lui annonçai que j'allais essayer de dormir un couple d'heures (comme on dit dans les mauvaises traductions de l'américain), ce que je fis séance tenante.

Tu le sais : comme tous les hommes d'action, je possède cet étrange mouvement d'horlogerie interne qui m'arrache au sommeil avant que les sonneries traditionnelles ne m'y invitent.

A cinq plombes moins quelques broquilles, mon sixième sens (à moins que ce ne fût le huit ou neuvième) me restitua ma lucidité. Je sortis du plumard complètement défatigué, voire fraise et dix pots, et allai appeler mon ouistiti anglais.

Blint avait les yeux rouges et, quand il respirait trop fortement, les mouches et autres insectes d'appartement tombaient, foudroyés par son haleine encore chargée de whisky. Nous procédâmes à des toilettes intimes dont la brièveté me donna mauvaise conscience, car elles me rappelèrent les engueulades que me prodiguait papa, au temps de ma communale, s'il me trouvait de la crasse sur les tendons d'Achille et au cou, qui sont des points de notre corps particulièrement trahisseurs en la matière.

Lorsque nous fûmes (très approximativement) prêts, je pris Apollon-Jules dans mes bras pour le porter dans l'auto afin qu'il y terminât sa nuit.

L'Anglais, lui, coltinait de mauvaise grâce nos deux valoches.

Elles lui churent des mains quand il parvint au terre-plein servant de parking à l'auberge.

Il y avait de quoi. Moi-même je faillis lâcher l'héritier présumé des Bérurier.

Car notre voiture avait disparu !

24

IL EST TOUT CON, RAYMOND.

Dans la pire adversité, surtout ne jamais perdre le côté plaisant des choses.

A peine mon effarement surmonté, je pense à l'histoire de la grand-mère, morte pendant les vacances, et que ses enfants ramènent, roulée dans une couvrante, sur la galerie de leur tire.

En cours de route, on leur chourave la bagnole sur l'aire d'un parkinge d'autoroute. Le reste, je m'en souviens plus. Oh ! rien de génial, mais je pars du principe (et je le démontre) que tout ce qui fait marrer est bon à prendre, comme une bite en fin de soirée. Mieux vaut le poil à gratter que la mélancolie, et le plus mauvais des « Comment vas-tu Yaudepipe ? » que la plus somptueuse pensée philosophique. Si on ne riait pas encore un brin, fût-ce de ses malheurs, autant aller se zinguer en couronne avec la secte du « Grand Paf Radieux ».

Mais cette opinion que j'ai le privilège de partager avec moi-même, peut te laisser de marbre, je me ferai une raison.

Le Blint de mes fesses et de leurs environs immédiats se tourne vers moi avec un regard qui se le dispute entre le point d'interrogation et celui d'exclamation (beaucoup plus sobre).

— Ça veut dire quoi ? il demande.

— A votre avis ? riposté-je.

— Vous aviez bien mis le général dans le coffre ?

— En effet.

Il me fustige d'une œillée tellement méprisante que la peau de mes bourses se fendille comme un sac en faux croco, vendu par un vrai Sénégalais dans les tiroirs du métro.

— Vous ne l'aviez pas attaché ?

— J'avais jugé la précaution superflue, avoué-je dans un élan de totale sincérité qui me vaudrait une remise de peine d'au moins deux heures dans un pénitencier laotien.

Il se met à imprécater en slang et si vite que je renonce à capter l'intégralité de son discours.

Pour comble, un merle se met à persifler dans un bouquet d'arbres proche.

Je savais bien qu'il avait une sale gueule, cet enfoiré de Dobroujda. Même dans la pire gadoue, un gonzier qui se traîne une pareille frime de traître reste paré pour te biter jusqu'aux roustons ! Chose curieuse, moi toujours à la pointe de l'action et de mon paf, je reste tout ratatiné, le porcelet béruréen dans les bras.

— *Well ! Well ! Well !* soupiré-je.

Puis, signe flagrant de soumission :

— Que faisons-nous ? lâché-je d'un ton qu'exténue à toute vibure.

Le vilain Rosbif ricane :

— Vous ne faites plus le malin, hé, Cosaque ! Vous avez enfin compris qu'il y a eu erreur sur la marchandise. Monseigneur n'a engagé qu'un tocard !

Moi, tu me connais plus ou moins par cœur, non ? Tu le pressens déjà qu'un sarcasme aussi outrageant ne saurait me laisser pantelant comme les testicules d'un centenaire.

Je dépose doucement mon goret sur l'herbe mouillée, puis je me tourne vers l'imprécateur.

— C'est toi, sous-merde, qui me traite de tocard ?

Il grisâtrie et bredouille :

— Ben... Hein ?...

Le pain que je lui mets échappe à toute technique pugilistique. Te dire s'il s'agit d'un crochet ou d'un direct, d'un uppercut ou d'un bolo-punch, faudrait que je me fasse repasser la bande au ralenti pour essayer de le définir. N'en tout cas, le cocker est soulevé de terre d'au moins cinquante centimètres.

Dans un instantanéisme prodigieux, je vois se brouiller sa vue et sa physionomie adopter une expression rêveuse. Il s'abat lourdement en arrière.

Sa soute à cervelle a porté sur le muret de briques surmonté d'un grillage entourant un vague potager où les mauvaises herbes se la donnent belle.

Je reste à frottailler de la main gauche mes phalanges droites endolories. Quel taquet, mon révérend !

Comme il garde les yeux entrouverts, je crains qu'il soit clamsé. Alors là, ce serait le bouquet de primevères que je voudrais rapporter à m'man.

Inquiet, je mets ma main non contusionnée sur sa poitrine de lapereau. Dieu soit loué pour toute la durée des représentations : ça bat toujours, presque régulièrement.

Et vlan ! Le déclic ! Santantonio est complètement retrouvé après son coup de flou. A nouveau disponible, à claire-voie, pardon : clairvoyant, déterminé.

Regard circulaire : *nobody !*

Je ramasse le petit pas-beau, le charge sur l'épaule et le rentre dans notre bungalow.

Poum ! sur son lit.

In my opinion, je pense, après une rapide auscultation, qu'il souffre d'un traumatisme crâneur (Béru dixit). Il est donc *out* (voire septembre, octobre) pour un bout de moment.

Sans vouloir faire coûte que coûte de la littérature d'action, je conclus que ma position est devenue plus merdique qu'un slip de pétomane. Ma « mission » a capoté. L'un de mes anges gardiens est canné dans une cabane de cantonnier, toute proche, le second a besoin d'une trépanation, le général que j'ai fait évader s'est cassé avec ma chignole et j'ai sur les endosses le jeune Apollon-Jules, sans papiers d'identité.

Quel est le con qui vient de crier qu'il a vu pire ?

25

SOIS PAS BÉGUEULE, ISEULT.

Moi, excepté un Davidoff « Number one », dans les cas d'exception, où je tire douze goulées avant de le transformer en mégot de milliardaire, je ne fume pas, ce qui me permet d'avoir la voix claire, les éponges transparentes et de ne faire chier personne lorsque je suis à table. Rien qui me déprime davantage que de claper en compagnie d'un gusman (voire d'une gerce) qui pétune pendant le repas. J'ai tout soudain l'impression d'être exclu et de partager cet instant de convivialité avec des gens étranges venus d'ailleurs.

Eh bien, magine-toi, Benoît, qu'à cet instant crucial, stupidement, j'ai un besoin physique d'allumer un barreau de chaise, en soufflant sur son bout incandescent pour qu'il prenne bien, et à me lancer dans la réalisation aléatoire de ronds de fumée. Paraîtrait-il que cet exercice est propice à la réflexion. Je me rattrape sur les peaux mortes cernant mes ongles. Les cisaillant de mes incisives et les crachant à petits pets buccaux.

Je me prends à témoin.

— Albert, me dis-je car j'adore ce prénom et me l'approprie à l'occasion, histoire de laisser le mien se reposer, Albert, tu t'es déjà trouvé plongé dans des fosses à purin encore plus nauséabondes que celle-là. Sois toi-même, garde ta confiance dans les valeurs sûres : ta maman, Dieu, la France. Il vaut mieux avoir une seule étoile, mais qui brille, plutôt que sept qui rouillent dans les geôles de l'île d'Yeu.

Cet auto-requinquement réalisé, je me décide, sachant que dans les circonstances glaireuses, tout est préférable à l'inaction.

Primo : dégauchir un véhicule et me casser d'ici dans les meilleurs délais. C'est alors que, tu sais quoi, Eloi ? J'avise, dans le frais morninge, une Renault Machin immatriculée en Suisse, canton de Neuchâtel avec l'écusson rouge, blanc, vert, agrémenté de la jolie croix helvète. La tire du peintre se trouve devant leur bungalow.

Je gage que tu commences à piger ?

Oui ? Magnifique !

Je savais que je ferais quelque chose de toi. Comme quoi faut jamais se laisser rebuter par l'air glandu de quelqu'un : tout individu a des ressources cachées.

Sachant la méticulosité des Suissagas, je cramponne d'ores et déjà l'ami sésame pour une petite violation de domicile (une auto étant considérée comme tel, et lorsqu'il s'agit d'une bagnole de la Confédération, on peut dire comme Guillaume Tell), ma stupeur est totale quand je m'aperçois que, non seulement elle n'est pas verrouillée, avec antivol branché et tout le bataclan illusoire, mais que la clé est sur le tableau de bord. Faut dire que son proprio est un artiste, partant, il a moins que ses compatriotes le sentiment de propriété.

Trois minutes plus tard, le gars Apollon-Jules est allongé sur la banquette arrière et ma valdingue se trouve dans le coffiot.

Un sentiment qui ressemble à une crise de conscience m'incite à aller voir où mon partenaire imposé en est. Ce gazier a le crâne en alliage dur car, figure-toi, qu'il paraît reprendre quelque peu ses esprits. Oh ! ce n'est pas encore la vivacité chiraquienne, n'en tout cas ses falots sont ouverts et il gémit en catiminette.

Je me penche sur lui :

— Hello, Blint, vous m'entendez ?

Il gazouille un charmant « areu areu » de bébé, ce qui le rajeunit considérablement.

— *My dear,* lui déclaré-je, remettez-vous tranquillement de ce début d'insolation, moi je suis obligé de reconduire le gamin chez ses parents. Quand vous téléphonerez au prince, dites-lui que mon départ n'est pas une démission, juste un temps de récupération, et que je vais poursuivre mes recherches car je suis un homme pugnace. A la revoyure, *baby !* Prenez un maximum de repos et vous retrouverez ce brio qui fait votre charme.

Je pose un baiser maternel sur son front glacé et joue rip à guichets fermés.

Me voici totalement retrouvé : fringant de partout, avec déjà la zézette qui frétille.

Je roule aussi vite que le permettent les autorités. La partie est serrée. Le jeu consiste a passer la fron-

tière hongroise avant que le « vol » de mon véhicule ait été signalé.

Il est six heures vingt. Je suppose que le barbouilleur ne doit pas être un lève-tôt, comme la plupart
des artistes. Quoiqu'il est enfant d'une nation labo-
rieuse où la vie commence bien avant celle des pays
qui lui sont limitrophes.

Je suppute, le panard sur le champignon. Mettons
qu'il se réveille à huit plombes. Chiottard, petit
déje, ablutions. Ça nous mène à neuf. Il découvre
alors la disparition de sa pompe. Dramuscule.
Artiste, mais suisse, donc attaché aux valeurs. Ram-
dam, te dis-je. Alerte générale. Tu crois que la
police roumaine va se crever le fion pour une tire
étrangère ? A la rigueur préviendra les services
routiers.

Non, je risquerais trop gros au franchissement de
la frontière. Je vais manœuvrer autrement : prendre
la route à travers les Carpates jusqu'à ce que je
dégauchisse un autre mode locomotoire.

Je ne sais pourquoi, ces monts sombres me fas-
cinent. Réminiscence de mes lectures de jeune
homme, des films dits d'épouvante qui firent frémir
ma jeunesse (morte à la fleur de l'âge). Depuis mon
arrivée dans ce patelin, je rêve de m'enfoncer entre
ces fûts, de me perdre dans le clair-obscur du sous-
bois. C'est un appel, à tout le moins un instinct.
Quelque force occulte (la force, on se la met où on
peut) s'empare de moi, agit en mes lieu et place. Il
me FAUT la forêt. Cette étendue d'arbres presque
noirs, de monts couronnés de châteaux en ruine.
C'est plus que littéraire comme besoin, je dirais

qu'une voix subconsciente exige que je m'y rende. Alors je, que veux-tu.

La route n'est pas pavée de bonnes intentions, hélas ! Ornières, nids-de-poule (grands comme des aires d'aigle), pointes de roches intempestives, fondrières, tout le bigntz, quoi. Les embûches (de Noël) des randonneurs en rangs d'oignons. Je me cogne du soixante compteur. A cette allure, je ne suis pas près de quitter lepays !

Moi qui avais projeté une décarrade éclair, tu juges ? Ferais-je de l'instabilité mentale ? Patouillé-je du bulbe ? comme demandait l'autre jour M. Raymond Barre à l'infirmière qui vient le changer après son goûter de quatre heures. Toujours est-il, que veux-tu, Lulu...

Belle journée. Çà et là, un rai de soleil perce les frondaisons. J'ai baissé ma vitre pour déguster l'air salubre de la forêt et écouter les ramages et autres incongruités des zizes.

Il m'arrive, fort rarement, de croiser la Jeep déglinguée d'un forestier. Il me salue de la main. Je luiréponds.

Et puis soudain, dans mon dos, une voix à laquelle j'étais loin de penser : celle d'Apollon-Jules :

— Tonton Antoine ! J'ai envie de chier !

Le voilà réveillé après ces tribulations matinales qui n'ont pas altéré son sommeil.

— Facile, fais-je : t'as des hectares de gogues à ta disposition.

Je me range sur un talus et le môme se débagnole.

— Tu as du papier ? m'enquiers-je-t-il.

Il a une réponse qui en dit long comme la ligne Moscou-Vladivostok sur son hygiène de vie :

— Pour quoi faire ?

Le branlo-chieur s'est traîné le fion sur la mousse, ensuite nous sommes repartis. Bien réveillé, la boyasse à jour, il s'est mis à chialer la faim.

Moi, que veux-tu, dans la précipitance de l'événement, je n'ai pas songé à embarquer des vivres.

— Dès que nous trouverons une épicerie, je t'achèterai de la croque, éludé-je.

— Y en a bientôt une ?

— Encore quelques kilomètres.

Il rengracie, mécontent de mon organisation. C'est un authentique Bérurier : il ne conçoit pas qu'on puisse s'embarquer sans choucroute.

Je continue mon chemin.

L'enfoirure de gosse reprend ses geignages.

Il m'énerve ; j'aimerais lui tartiner le museau.

Je roule toujours. On approche d'une clairière. Apollon-Jules s'exclame :

— Y a plein de fraises des bois, vise, tonton !

Effectivement, le sol est tapissé de fraisiers et ce morceau de pré coincé dans la forêt semble avoir la rougeole.

— Arrête-moive ! supplie le larduche.

Bon, je stoppe sans me douter que ce caprice de Bérurier junior va conditionner toute la suite de cette extraordinaire aventure !

26

IL TIRE DE BONS COUPS, JEAN-LOUP.

Le mouflet procède de façon animale : il se met à quatre pattes afin de picorer les fraises sauvages qui sont dodues comme des fruits de culture.

Je profite de l'occase pour me dégourdir les fumerons. J'ai toujours adoré les clairières. Romantiqueset mystérieuses, elles sont. Mais dans les Carpates,elles atteignent un puissant degré d'angoisse. T'as l'impression que tu vas voir surgir des gusmen avec des oreilles de loup-garou et des ratiches qui ratissent les pelouses.

Ça sent bon l'humus, l'herbe fraîche, le chèvrefeuille. Je marche dans l'herbe trempée de rosée, sans me soucier de mes pompes ni du bas de mon grimpant. Ça me rappelle des instants de jadis, dans notre Dauphiné d'origine. Les digitales, les lupins et ces espèces d'épis verts, crochus, qu'on se posait sur l'intérieur du poignet et qui remontaient lentement ton avant-bras, « entraînés par le sang », assurait mémé. Je me délecte à fouler les plantes en liberté ; à baigner dans cette félicité, j'en oublie les graves préoccupations du moment.

Et alors, se produit quelque chose d'inattendu, de terriblement troublant au sein de ces montagnes somptueuses : un cri ! Un très long cri, intense, éperdu. Cri d'homme fou de souffrance. Cri parti de la chair torturée. Je connais. J'ai eu poussé les mêmes.

Je me dirige en direction de ce bruit insoutenable. Cela vient de la forêt. M'y rends. Je parcours une deux-centaine de mètres, piégés par des ronces tentaculaires, car la sente qui s'offre est à l'abandon. Il y a mèche, des bûcherons la pratiquèrent pour s'en aller désarbrer, mais tu sais combien la nature avide reprend vite ses droits. T'as pas le dos tourné que ça se met à gicler du sol, à partir à l'assaut de la planète. Toujours, de partout, inlassablement. Que même ces sales cons, avec leurs bombes, ne parviendront jamais à neutraliser complètement la végétation. Elle sera éternellement la plus forte ! Tu paries ?

Mes pas me conduisent jusqu'à une cahute de rondins qui choit en digue-digue.

Mais ce n'est pas elle qui me fascine. Oh ! lala, que non ! Je n'ai d'yeux que pour l'automobile stationnée à quelques mètres de la cabane, car cette bagnole, imagine-toi que c'est la mienne !

Tu lis bien ? Tu réalises parfaitement ce que je viens de te bonnir, Casimir ? La mienne ! Elle est a demi cachée par de hautes plantes à larges feuilles, pourtant je la reconnais sans hésitation.

Mon premier signe est de croix.

Comment douterais-je de Dieu à l'issue d'un pareil miracle ?

Impossible, hein ?

Récapipite un peu la somme de fabuleux hasards qu'il aura fallu pour m'amener jusqu'à ma guinde !

Le choix de la direction, au départ. Puis de la route. Le caprice d'Apollon-Jules affamé qui exige de bouffer les fraises garnissant la clairière. Moi, qui footinge dans ce lieu de méditation. Ce cri que je reçois comme un message venu d'ailleurs.

Si après ça tu restes athée, mon pote, c'est que tu es de mauvaise foi (oserai-je affirmer).

Donc, brièvement, mais intensément, je remercie le Seigneur Dieu de m'amener ici. Franchement, c'est chic à Lui. En voilà Un qui n'a pas de rancune, avec toutes les crasses que je Lui fais à longueur d'existence !

L'autre jour, j'étais à la messe avec Jean-François Kahn et Mme Simone Vieille et je leur causais de mes tourments. Ils m'ont fait valoir que de mauvais états d'âme ne signifient pas qu'on ait une âme en mauvais état, que l'essentiel c'est d'en posséder une. Ils m'ont requinqué et Jean d'Ormesson, qui sortait de la synagogue, partageait leur point de vue. Dois-je leur faire confiance ? Ne sommes-nous pas enclins à nous raccrocher aux arguments qui flattent nos penchants ? Il faudra que j'étudie cela de près à la faveur d'une angine terrassante ou d'une crise de constipation pugnace.

Je t'en reviens à mes Carpates sombres et à la cabane de bois d'où s'échappent des plaintes.

La chierie, c'est que je n'ai aucune arme à ma disposition, autre que mes poings et ma vaste intel-

ligence. Ployé en deux ou trois, je pas-de-loupe
jusqu'à ce reliquat de construction. Elle ne possède,
en fait d'ouverture, que sa porte, laquelle se trouve
sur la face qui m'est opposée. Mais les rondins, avec
le temps délabreur, joignent mal. Parvenu contre la
masurette, je n'ai aucune difficulté à mater ce qui
se passe dedans.

Le spectacle me ferait friser les poils occultes si
ces derniers ne bouclaient spontanément. Y a vraiment des instants au cours desquels tu mets tes cinq
sens en question, comme disait un compositeur du
même nom, auteur de *la Danse macabre*.

Bon, je vais tout te conter, mais je te parie un
moule à gaufre contre une moule de Bouchot que
tu auras du mal à me croire.

On plonge tout de même ? Alors attache ta ceinture.

Dans la masure (comme dit mon pote Bruno)
sont réunies trois personnes, dont l'une a été réunie
par les deux autres puisqu'il s'agit du général
Gheorghi Dobroujda et qu'il gît sur le sol, à plat
ventre, les membres écartés en croix de Saint-
André par des cordes. On a baissé son pantalon, ce
qui est un manque de respect caractérisé vis-à-vis
d'un militaire de son grade, quand bien même il
aurait été déchu. Cette manœuvre est sans conno-
tation sexuelle ; on a agi de la sorte simplement
pour pouvoir introduire dans son rectum l'embout
du gonfleur de secours qui figurait dans la trousse
de ma voiture.

Maintenant, parlons des deux tourmenteurs de
cet ancien fidèle des Ceauşescu. C'est d'eux que
provient ma stupeur.

Je te dis ?

Le peintre ! mon pote. Le barbouilleur de l'auberge et sa polissonne julie que j'ai calcée de queue de maître durant une bonne partie de la journée d'hier. Jure-moi sur la sainte Bible que tu t'attendais à ça et je te rembourse cet ouvrage, bien que j'aie déjà dépensé les droits d'auteur en futilités.

C'est la nana qui manœuvre la gonflette ; l'homme, qui a un tempérament artistique, s'amuse à appuyer le bout incandescent de son cigare sur les lobes oculaires de sa victime, comme s'il voulait transformer ses orbites en cendrier. Tu te rends compte s'il est néfaste, ce salingue !

Evidemment, le général ne peut contenir ses hurlements de souffrance. C'est pas réprimable des douleurs de cette nature ! T'as beau avoir du courage, de la volonté, tout le chenil, tu craques.

Ma baiseuse ardente, je le réalise tardivement, estune sadique. Tu verrais sa gueule, tu pigerais mieux le panard qu'elle se chope à dilater la tripaille du pauvre homme.

— Stop ! fait soudain son complice.

Elle interrompt la pression. Le compagnon remet son havane en bouche pour le faire brasiller. Il tire une belle et longue goulée qu'il rejette avec une lenteur asiate.

— A quoi bon vous obstiner, général ? demande-t-il à sa victime. Nous poursuivrons ces sévices jusqu'à ce que vous parliez. Vos intestins éclateront et vous deviendrez aveugle. Mais nous continuerons à vous martyriser jusqu'à ce que mort s'ensuive. Et quelle mort !

Il se reprend à fumer. Sans le consulter, sa gerce remet la sauce avec sa grosse cartouche d'air comprimé. Cri exténué et pré-agonique du Roumain.

Le « peintre » fait signe à sa complice de surseoir. Elle obéit de très mauvaise grâce ; est-ce que son rêve est de voir s'envoler sa victime comme un aéronef ?

Le général dit :

— Je ne sais pas où est le trésor, je vous en donne ma parole d'officier.

— Mais vous en avez entendu parler ?

— Oui, vaguement.

— Par qui ?

— Par Nicolae.

— Vous voulez dire Nicolae Ceauşescu ?

— Oui.

— A qui en parlait-il ?

— A l'un de ses proches.

— Et il lui disait quoi ?

— Que le moment était venu de porter la malle du Shah à l'endroit prévu.

— Quoi d'autre ?

— C'est tout, je le jure.

— Qui était l'homme auquel Ceauşescu confiait cette mission ?

— Il m'est impossible de vous le révéler.

— Vraiment ! Et pourquoi ?

— Mon honneur d'officier ne me permet pas de trahir un ami.

Celui que, faute d'avoir son blase, je vais continuer à nommer « le peintre » part d'un large rire autour de son Punch gros module.

— Son honneur d'officier ! exulte-t-il. En ce moment ! Flanque-lui encore une belle giclée dans le cul, ma belle.

La garce, qui ne demandait que ça, donne de la cartouche avec un cri de plaisir. Là, c'est la dose pour enculé obèse. Cette fois, la décharge est si forte que le pauvre évadé part dans le sirop.

L'ont-ils buté, à vouloir aller trop loin dans la torture ?

Dans mon cœur se lève le vent de la rage. Vais-je donc laisser assassiner ce malheureux sans réagir ? Moi, le premier flic de France quand tu arrives à Saint-Cloud ?

N'écoutant que ma courge (1), je me dresse et me mets à la recherche d'un n'importe quoi susceptible de me servir d'arme. Seulement ici, c'est pas Manufrance de la belle époque. Tout ce que je dégauchis c'est un pieu de bois point trop vermoulu. L'empoigne par son extrémité la plus mince. Massue équivoque, mais faute de grives on mange des merdes, comme disait un ami à moi nommé Bérurier.

Je m'approche de la cabane déglinguée, la contourne. Pour y voir clair à l'intérieur, ils sont contraints d'en laisser la porte ouverte. Une dernière lorgnée par une fente m'informe que le couple est agenouillé autour de leur victime. Tel, il me tourne le dos.

Alors mézigue, un brin théâtral, genre Edmond Dantès retour du bagne :

_____

(1) Un ancien correcteur qui se shootait au Muscadet sur lie a laissé passer cette couille (pardon : coquille) un jour dans une de mes œuvres, et il a eu raison, car elle était volontaire.

— Vous croyez qu'il parlera ?

Putain, cette secousse à haute tension !

Si j'ai été abasourdi de les retrouver, il y a un instant, eux le sont tout autant de me voir.

Qu'est-ce que les vrais écrivains disent en semblable circonstance ? Que c'est la foudre qui leur tombe aux pieds ? Qu'ils doutent de leur entendement ? Qu'ils se glacent ? Qu'ils claquent du râtelier ? Quoi z'encore ?

— Vous m'avez bien eu, dis-je. Pas une seconde je ne me suis douté qu'on travaillait pour la même maison. Il est viceloque notre prince, vous ne croyez pas ?

27

ELLE EN A DE BONNES, SIMONE.

Malgré les coups de théâtre, du sort, de bite enfourrés, l'être humain surmonte toujours. Sa belliquieusité reprend le dessus, invinciblement.

— Vous nous avez suivis ? questionne ma « conquête » de la veille.

— Non : retrouvés, rectifié-je.

Mais le doute est en eux et va-t'en le déloger !

— Le général a un signal à ondes courtes sur lui ? fait le peintre.

— Pas lui : moi. Et je l'ai là ! affirmé-je en me toquant ma boîte crâneuse.

Les deux échangent un long regard : celui de Roméo sur Juliette, de la vache sur le train.

Ma connaissance des hommes m'avertit que le charmant couple mijote un truc peu bandant pour ma pomme. Ce qu'il y a de chiatique, chez les autruis, c'est leur connivence. Parfois, et épisodiquement, certains ont « partie liée ». Là faut te gaffer, mon drôle. Tout est à craindre.

Je fais, montrant le bec du gonfleur dans l'œil de
bronze de Dobroujda :

— Vous pratiquez des méthodes peu courantes.

J'ai tort de ne pas me tenir davantage sur mes
gardes, comme disait cette impératrice de Russie
qui se faisait verger par ses Cosaques. Dedieu, ce
qu'il est rapide, l'artiste ! A ce propos, c'est une
grande première dans ma carrière, un tortionnaire
qui fait de l'aquarelle. Tout existe !

Il a tellement hâte de m'assaisonner qu'il défou-
raille à travers la poche de son blouson. Heureusement pour ma viande car, son vêtement étant
fermé, il n'a pu pointer le canon de son feu selon
l'angle adéquat. La bastos fait un trou dans le daim
du vêtement, puis un autre, plus large, dans un des
rondins de la cabane.

Moi, dare-dard, j'ai plongé pour esquiver la
seconde prune qui suit docilement la première. Me
trouve contre ma pointeuse de la veille. J'arrache
le gonfleur de l'oigne militaire de sa victime et le
virgule de toutes mes forces contre l'homme au pistolet. Coup heureux : le projectile vient percuter sa
main qui tient l'arme et qu'il a dégagée de sa profonde pour une meilleure liberté de manœuvre.
L'impact se produit à l'instant précis où il défou-
raillait pour la troisième fois. Il fait dévier le canon
du riboustin. La purée part nettement sur ma gauche.

Alors la gueule du tireur change. Ses yeux et sa
bouche béent. C'est son expression fixe surtout qui
me fait tiquer. Il ressemble à deux trous contigus
dans du gruyère.

Je me tourne vers la femme et réalise ce faisant

la commotion de son « mari ». Ma dévergondée de la veille, celle qui suçait si bien mon paf pour le faire devenir pointu, se tient immobile, en position instable.

Elle a chopé la dernière bastos en plein front, que tu dirais ces tatouages que certaines dames hindouses arborent avec fierté.

Chose hallucinante, elle garde sa posture, pourtant précaire, comme si elle venait d'être minéralisée.

— Gerda..., bredouille le flingueur.

Ce manche-à-burnes-creuses vient de scrafer sa partenaire en voulant me buter. Tout s'est passé si vite que nous avons du mal à réaliser, lui et moi.

Et puis il pige l'étendue de son désastre et émet un son long et modulé qui évoque irrésistiblement la plainte du kangourou qui vient de trouer sa poche marsupiale en y planquant un tire-bouchon.

Il prend son arme à deux mains, avance d'un pas, me vise posément et...

Ma dernière heure commence à sonner au beffroi de Saint-Poulardin-le-Sodomiste. J'élève l'épieu ramassé dans la clairière en un geste dérisoire de défense. Je le sais trop bien que je n'ai pas le temps de le balancer sur le mec, qu'il est trop tard.

Et puis, comme souvent dans mes z'œuvrettes, l'inattendu se pointe. En la personne d'Apollon-Jules. Le poupard attardé arrive en courant dans la cabane. Il est si balourd qu'il télescope, dans son élan, le dos de mon metteur à mort. Le peintre-assassin trébuche, essaie de retrouver l'équilibre, ne le peut, s'abat en avant, c'est-à-dire sur moi.

Suis-tu parfaitement la scène, Arsène ?

Oui ? Alors je continue.

Et lui aussi !

En chutant, tu sais quoi ?

Tu ne vas pas croire. Et cependant il n'y a pas un mot de vrai dans tout ce que je te dis. Le gusman s'embroche délibérément sur mon pieu. Cela fait un bruit surprenant, à la fois de pet à ramifications et d'étoffe déchirée. Il s'octroie vingt bons centimètres de bois dans le baquet. Pour lors, il tombe sur sa souris, laquelle, enfin, bascule comme on a le devoir de le faire lorsqu'on vient de s'adjuger une bastos de 9 mm en pleine poire.

Voici cet étrange tandem au sol, pêle-mêle.

L'homme geint sourdement.

— A quoi qu'y joue, c'branque ? demande l'ingénu Bérurier fils.

— Va-t'en savoir, éludé-je en me remettant droit sur mes pattes de derrière, initiative fâcheuse que prit un jour un singe qui allait devenir notre grand-papa.

— Dis, tonton, c'est pas ta bagnole qu'est à côté de la cabane ?

— En effet, mon petit loup.

— T'es venu la chercher ?

— Tu as tout compris.

— Tu veux qu'j'vais mett' nos valdingues dedans ? J'sus fort, tu sais.

— Bonne idée.

Il sort.

J'en profite pour faire le bilan de cette action ahurissante.

Celui-ci n'est pas laubé !

Ma pseudo-Neuchâteloise est cannée, pralinée involontairement par son équipier. Ce dernier agonise avec une broche dans le tiroir-caisse, ce qui le gêne considérablement pour lacer ses pompes. Le général Gheorghi Dobroujda ne reprend toujours pas conscience. D'après ce qu'il a eu le temps de révéler à ses tourmenteurs, il ne sait pas où est le trésor du Shah. Tout ce qu'il est cap' de bonnir c'est le blase du gazier que Ceauşescu aurait mandaté pour évacuer les cailloux.

Il faut absolument que l'homme aux entrailles dilatées me confie ce nom. Je ne me suis pas payé cette croisière pour du beurre rance ! Conclusion, je dois ranimer l'ami Gheorghi en grande priorité.

Alors je m'emploie de mon mieux. Dans les bouquins pour scouts boutonneux et adolescentes masturbées, une personne inanimée, toujours on lui « bassine les tempes » avec de l'eau. La tisane ne manque pas dans les Carpates. Je ne vais pas loin avant de dégauchir un ruisselet « murmureur ». J'y trempe mon mouchoir et reviens m'occuper du pauvre mec.

Mais ça n'a pas l'air de vouloir le ressusciter, un chiftir mouillé. Il émet un râle sourd dont je n'arrive pas à déterminer s'il lui vient de la gorge ou du pif. Peut-être des deux endroits à la fois ?

De guerre lasse, je me penche sur « le peintre ». M'empare de son porte-cartes. Il n'est pas helvète le moindre, mais luxembourgeois. Se nomme Eloi Dutalhion. A profession, il y a marqué « gérant de fortunes ». Tu parles ! Je ne lui confierais pas mes pauvres éconocroques ! Effectivement, il est domicilié en Suisse.

Je prends note de son identité. Sa compagne, qu'il a appelée Gerda est sans papelards.

Retour d'Apollon-Jules, en sueur, la bouille rougeoyante.

— Ça y est ! m'annonce-t-il. J'ai déménagé ; on s'en va ?

— Encore un petit moment, monsieur le bourreau.

— Comm' tu voudreras. Mais si on partira pas tout d'sute, je retourne manger des fraises. Elles sont fameuses. L'aut' jour, tonton Alfred, le coiffeur, est v'nu baiser Berthe à la maison. Y m'avait apporté une tarte z'aux fraises vachetement bonne. Eh ben, ceux d'ici sont plus meilleures.

Il se tait pour regarder le couple foudroyé.

— C'est eux qu'étaient z'à l'hôtel, hein ?

— En effet, luron !

Il demande, sans émotion :

— Y sont morts ?

— Plus ou moins.

Les trépassés n'ont jamais intimidé les Bérurier, gens de la terre, habitués à voir périr les saisons et les hommes. Le grand cycle de l'azote leur est familier. A la cambrousse, on décède comme on naît. Le village vient te dire adieu au lieu de bonjour et c'est à peine triste.

Apo se taille pour une nouvelle ventrée de fraises ; c'est pas que ça tienne au ventre : la preuve, les diététiciens t'engagent à remplacer la choucroute garnie par ces fruits, mais c'est mieux que rien.

Ces deux messieurs agonisent chacun de son

côté. Le Luxembourgeois, avec son épieu dans la carcasse est à l'abri des vampires carpatiens. Le général, claque plus doucettement d'une mort outrageante, mutilante.

— Vous m'entendez, Dobroujda ?

Il entrouvre ses paupières brûlées.

— Reprenez-vous ! l'encouragé-je bêtement. Vos tourmenteurs sont morts ; je vais vous conduire dans un hôpital.

M'a-t-il entendu ? Et si oui, a-t-il déchiffré le sens de mes paroles ? T'avoueras que, crever de la sorte, c'est tristounet pour un général.

— Pardon de vous harceler, reprends-je, mais c'est d'une importance capitale. Il s'agit du trésor des Ceauşescu...

J'approche mes lèvres de son oreille :

— Faites un effort, mon ami, c'est pour une juste cause.

Ça me prend plus d'une heure, de patience et d'exhortations, mais il le fait.

Y A UN NID DE BURNES DANS LE POMMIER

28

IL S'ÉCLATE LES VARICES, ÉVARISTE.

Ce fut un jeu d'enfant que de passer en Hongrie. A un douanier qui me réclamait le passeport d'Apo, je donnai un charmant billet de cent dollars qui allait lui permettre d'acquérir une maison de campagne et il se mit à réfléchir si fortement que j'atteignis Budapest avant qu'il ne soit sorti de sa rêverie.

Nous descendîmes à l'hôtel *Kastra* dont la façade donne sur un fleuve qui a toutes les chances d'être le Danube, et nous prîmes un bain dans une baignoire ronde qui aurait pu tenir lieu de piscine au roi Hussein de Jordanie. Ces ablutions de concert me permirent de constater que Bérurier fils était aussi généreusement membré que son excellent père ; je m'en réjouisis pour ce sympathique gamin.

Je pars en effet de l'idée qu'un homme doté d'un chibre opulent a davantage de chances de réussir dans la vie gueuse qu'est la nôtre, car il intéresse fatalement les dames, son aura de surpafé le précédant. Or, celui qui a le beau sexe de son côté possède le plus précieux des atouts.

Nous allâmes dîner au restaurant de l'hôtel où l'on nous servit bien entendu du goulasch arrosé d'un vin rouge qui frisait agréablement. J'adore la Hongrie, ce pays fait pour le malheur. Ses habitants, à force de baigner dans le sang pendant des siècles, ont fini par acquérir une touchante soumission à l'infortune.

A Budapest, les bâtiments — y compris les plus importants — ne sont pas vieux, la guerre qui détruit engendrant inévitablement la reconstruction. Ils ne sont pas très esthétiques non plus et visent au « kolossal ».

Le communisme a laissé place au gangstérisme, c'est pourquoi le peuple regrette le régime bolchevik. Ce qu'il a gagné en liberté, il l'a perdu en sécurité.

La chiasse de l'humanité, son nouveau péché originel, c'est le surnombre ; or non seulement il est irréversible, mais il ne fera que croître vertigineusement. L'homme est devenu intolérable à l'homme. Nous sommes notre propre chancre. Et t'as plus le moindre coinceteau où te planquer. La dernière cachette est celle de l'autruche. Alors foutons-nous le nez dans le cul si nous sommes assez souples, et laissons pisser les moutons de Panurge.

— Tonton Antoine, j'peuve reprend' du gâteau n'à la crème ?

— Tu peux, mon neveu. Ensuite nous irons téléphoner à tes parents.

Le petit monstre se rembrunit :

— Oh ! non : pas déjà ! On s'marre bien, les deux !

Cet hommage spontané me touche. Je le contemple pendant qu'il s'empiffre. Par moments (et maintenant en est un), je me dis que je ne dois plus trop tarder à convoler si je veux m'assurer une descendance. Fastoche à dire, mais dans quels brancards m'atteler ?

Tout naturellement, le souvenir de Marie-Marie vient me tarauder l'âme. Où est-elle ? Que fait-elle ? Depuis sa carte de Noël dernier, nous sommes sans nouvelles. Quel porc se vautre sur elle, en ce moment ? Sale con d'Antoine ! Tu as laissé filer la chance de ton existence. Elle était née pour toi, se préparait à toi. Combien de fois lui as-tu promis de « sceller vos destins », comme disent les glandus emphatiques ? Toujours tu as renâclé au moment suprême. Alors la vie qui ne repasse pas les plats en a eu marre. Et la « Musaraigne » itou.

— Qu'est-ce t'as, tonton ? demande la petite ignominie vivante.

— Pardon ?

— On direrait qu' t'as enville d'chialer.

J'ébroue.

— T'es louf, p'tit mec ; est-ce que ça pleure, un homme ?

— Ça chie bien ! objecte le jeune philosophe.

Je demande la note à signer.

Continue ta route, mon vieux Sana, la vie c'est à chaque instant, faut faire avec.

J'espère qu'ils ont mis de la vodka dans le bar de notre chambre. Avec du Coca dans la proportion de *fifty-fifty*, ça aide à franchir le gué en crue.

Le loupiot s'enroule sur lui-même, kif un hippo-
campe ou un rollmops ; et s'endort sur-le-champ
dans le plumard d'appoint que j'ai fait dresser.
C'est fou ce qu'il ressemble à son dabe. Il a eu du
bol, Alexandre-Benoît. Avec le contrecarre que lui
fait sa grosse vachasse, il aurait dû avoir un chiare
qui soit le sosie d'Alfred ou du garçon boucher !

J'appelle en premier le couple de cétacés. Ça
carillonne longuement. Pile que ma main est déjà
en route pour sectionner la communication, la voix
de Berthe module un « Alleu, mouive ? » précieux,
aux trois quarts couvert par une musique endiablée
que j'identifie : celle du *Petit vin blanc.*

Comme je tarde à me manifester, l'affable personne déclare :

— Si c'est n'encore toive qui me poursuite de tes
acidités, Nanard, j'veuille que tu susses qu'c'est
râpé, nous deux. Moive, les bande-mou, j'en ai rien
à branler !

Je sens qu'elle va raccrocher, aussi fais-je un
effort :

— Ici Antoine !

Elle change d'intonation :

— Oh ! escusez-moive, vu qu' vous n'causiez pas,
j'ai cru qu' c'tait Nanard, mon masseur. Vous le
voireriez, vous croireriez Tarzan, mais quand y
déballe son outil, tout c'qu' y vous propose c't'une
saucisse de cocketelle et qui bande mou pour comb'
d'bonheur. L'aut' aprème, j'ai escrimé une heure
su' son ninas sans même qu'y en sortasse d'la
fumée !

— Très intéressant, coupé-je. Avez-vous fait un
bon voyage de retour ?

— Eguescellent, Antoine. Juste un gendarme teigneux dont mon Sandre a dû faire une tête au carré biscotte y lu brisait les couilles. N'a part ça, tout a baigné dans l'huile.

— Dites-moi, chère Berthe, n'auriez-vous rien oublié à l'auberge roumaine ?

Elle exclamationne :

— Vous l'avez trouvé ?

— Très facilement.

— Figurerez-vous qu' c'est en arrivevant à Paris que j'm'aye aperçue d'la chose. Ça m'a chiffonnée.

— Je comprends, réponds-je d'un ton hostile.

— C'est pas qu'y vale grand-chose, mais j'y tiens. C'est l'seul souv'nir que j'aye d'not' amour, le Gros et moive. J'veule bien qu'y soye pas en or, mais une fois à mon poignet, qui donc va s'en douter ? Tout est dans la façon d'porter les bijouxes.

Mon ahurissement ressemble à un masque vénitien exprimant la constipation chronique.

— De quoi parlez-vous ? demandé-je.

— D'mon brac'let en cuivre naturel. J'l'aye laissé su' la tab' d'nuit.

— Et vous n'avez rien oublié d'autre ?

Un long silence.

— Franch'ment, j'voye pas, Antoine.

— Et Apollon-Jules ! égosillé-je d'un ton surdimensionné.

Re-silence, au fond duquel on sent grouiller des points d'exclamation entremêlés de points d'interrogation.

— Mais bordel à cul ! C'est pourtant vrai qu'y l'était av'c nous là-bas ! glapit cette mère attentive.

Qu'est-ce y a pu s'passer ? Faut dire qu'on est partis avec tant d'précipitance...

Je l'entends mugir à la cantonade (et aussi à la cantinière) :

— Sandre ! Figure-toive qu'on a oublié l'gosse n'en Roumanie !

Elle attend, puis me revient :

— C'est pas la peine qu' j'lu cause : mon homme est plein comm' un' outrance. Y s'voit plus les mains, Antoine, si j'vous dirais. Quand j'lu racontererai not' étourdrie, d'main, y aura pas l'air fin, ce gros veau ! Vous m'escuserez, on a du monde : on fête l'anniversaire d'Apollon-Jules.

29

ELLE EST TOUTE MOITE, BENOÎTE.

Sa voix loukoum, c'est kif une plume d'autruche qu'on te passerait sous les testicules. Elle est murmurante, suave, avec des inflexions qui langourent comme quand une adolescente de la bonne société te sollicite de lui pratiquer minette tout en lui faisant « pince de crabe », c'est-à-dire : le pouce dans le frifri et le médius dans l'œil de bronze.

— Je vous réveille, ma Somptueuse ? dis-je en mettant du foutre dans mes inflexions.

— Pas du tout, répond Shéhérazade, et le plus extraordinaire c'est que je pensais à vous.

— D'une manière positive ou négative ?

— Interrogative, répond la belle.

— Vraiment ?

Ce dialogue, c'est ce que j'appelle du blabla, de la parlotine qui donne à chacun des terlocuteurs le temps de caler ses idées avant d'entrer dans le v d s (vif du sujet).

— Où vous trouvez-vous, cher Gheorghiu ?

— Dans ma Roumanie natale, mon aimée.

— Les affaires que vous deviez y traiter se passent bien ?

— Conformes, éludé-je. Aurai-je le grand honneur de pouvoir m'entretenir avec Sa Majesté ?

— Le prince n'est pas joignable pour l'instant.

— Et cet instant risque de perdurer ?

— Je ne puis vous renseigner.

Tu sais comme je soupaulaite facilement ? Républicain jusqu'au gros côlon, je suis mal enclin à subir les caprices d'un monarque à cothurnes.

— Eh bien, s'il en est ainsi, je le rappellerai à la saint-glinglin, qui coïncidera avec le jour où les poules auront des dents, mon adorée. J'ai été fou de bonheur d'entendre votre voix qui fait ressembler un murmure de source au bruit des chutes du Zambèze. Mon vœu le plus ardent c'est de vous retrouver dans une chambrette afin de vous montrer les plans d'un nouveau coït qui vient de sortir et qui est appelé à un grand retentissement. J'appuie ma bouche en feu là où vous estimez qu'il est hérétique de le faire. Bonne nuit !

Je m'apprête à raccrocher. Un cri stoppe mon geste : « Non ! ! ! ! ».

— Vous vouliez ajouter quelque chose, ô ma déesse des Mille et Une Nuits ? demandé-je avec l'innocence d'un vieux monsieur qui vient de lester ses genoux arthritiques d'une fillette en culotte « Petit bateau ».

— Dites-moi où vous êtes, Sa Majesté vous rappellera.

— Impossible, ma toison luxurieuse.

— Pourquoi ?

— Parce que là où je suis, je peux émettre, mais pas recevoir ; ce serait trop long à vous expliquer.

— Alors ne quittez pas, je vais dire au serviteur privé du prince de le réveiller.

Je reste seul devant mon Dubonnet. Me sens relaxe. Froid comme la bite d'un Lapon prostatique qui sort pisser par moins quarante.

En moi souffle ce vent qui, après des jours de calme plat, gonfle les voiles d'une goélette en rideau.

Puis, au bout de peu :

— Voilà, on prévient Sa Majesté.

— Merci. Tout va bien, au palais ?

— On a retrouvé le docteur Ti-Pol.

— Il est revenu ?

— Il était mort.

— Vraiment ! Racontez-moi un peu cela, gloire de mon sexe.

— C'est l'un des jardiniers qui l'a trouvé dans la fosse à compost.

— Donc, quelqu'un l'a tué ? émets-je, sobrement et lapalissement.

— Exactement.

— Et l'on a des soupçons au sujet de son meurtrier ?

— On en a.

— Je le connais ? fais-je d'un ton badin.

— Robert Windsor.

— Le giton du prince ?

Elle corrige :

— L'ami du prince.

Moi j'en prends un pacsif gros commak dans la conscience. Par quel concours de circonstances

l'Anglais a-t-il été impliqué dans cet assassinat ?
Comment le favori, le minet cher à Soliman Draggor, s'est-il vu accuser du crime ? Je le jugeais intan-
gible, l'Arabe semblant fou de lui.

— La chose paraît invraisemblable !

Elle murmure :

— Il faut se méfier des apparences. Sa Majesté
a découvert que cet homme appartenait aux services secrets britanniques.

— Pas possible !

— Tout est toujours possible, l'ignorez-vous ?

Je ne trouve rien à rétroquer (dirait Béru). Dans
un effort, je demande, en m'efforçant de donner
quelque fermeté à ma voix mêlé-cassienne :

— Il a avoué l'assassinat du Chinois ?

— Je suppose.

— Vous n'en êtes pas certaine ?

— Sa Majesté l'a longuement questionné, en
tête à tête.

J'imagine très bien l'interrogatoire. En comparaison, la « question », au Moyen Age, ressemblait
à une partie de jeu de paume.

— Et qu'est devenu ce beau gosse ?

— Eh bien, le prince l'a renvoyé en Angleterre.

Si le détroit de Gibraltar est considéré comme
étant britannique, dès lors, oui : Windsor doit se
trouver en territoire anglais !

Elle fait brusquement :

— Je vous passe Sa Majesté.

Effectivement, l'organe velouté dudit caresse
mes superbes trompes d'Eustache :

— Où êtes-vous, monsieur Tiarko ?

— Quelque part en Roumanie, Monseigneur.

Pardonnez-moi de vous avoir fait réveiller. Mais avant toute chose, laissez-moi vous présenter mes sentiments respectueux.

— Du nouveau ?

— En surabondance, sire.

— C'est-à-dire ?

— Je ne sais trop par quel bout vous rendre compte de mes recherches.

Il a un hennissement d'étalon mis en présence d'une pouliche en chaleur.

— Commencez par la fin ; vous avez retrouvé le trésor Izmir ?

— Je ne l'ai pas en ma possession, mais je sais où il est.

Sa brève question claque comme... Un écrivaillon dirait : « comme un coup de fouet », mais tu penses bien que je me respecte trop pour me déshonorer avec un tel lieu commun ! Non, sa brève question claque comme une capote anglaise sur l'énorme bitoune de Béru.

— Où où où ? sirène-t-il.

— Vous le saurez en temps opportun, Majesté.

— Quehouhoi ? hurle le tyran, peu accoutumé à rencontrer ce genre d'obstruction chez ses terlocuteurs.

J'ai un rire calme, encore que sonore. Celui d'un honnête homme ayant accompli sa mission et qui entend savourer la satisfaction de la réussite. Puis je chope la converse au collet, bien décidé à ne plus m'en laisser conter :

— Ecoutez, Soliman, j'en ai classe de vos coups bas et autres entourloupes. Travailler pour vous n'est pas une sinécure ! Non seulement il faut se

crever le cul, mais en outre, on doit vaincre les piè-
ges, embûches, traquenards et tueurs à gages dont
vous égayez le parcours. Ouvrez en grand vos oreilles, Majesté de mes couilles ! Primo, les mauvaises
nouvelles : Howard est mort, Gerda est morte, j'ai
laissé Eloi dans un pré-coma qui ne me disait pas
grand-chose, et cet ahuri de Blint était tellement
sonné à la suite d'un traumatisme crânien qu'il ne
pourrait même plus lire un livre d'images destiné
aux moins de quatre ans.

Là, je respecte un temps mort pour lui donner
celui d'assimiler cette nécrologie de masse.

Il émet un bruit bizarre, comme s'il grinçait des
ratiches sous l'emprise de la rage.

— Je poursuis ! annoncé-je-t-il. Malgré les
manœuvres polluantes exercées par vos pieds-plats,
je suis arrivé à mes fins. Je sais qui s'est approprié
le trésor personnel des Pahlavi ; j'ai, par consé-
quent, toutes les chances de remettre la main dessus. Seulement, pour y parvenir, je dois avoir les
coudées franches. Si vous tentez quoi que ce soit
pour me squeezer, vous ne verrez jamais vos
putains de cailloux, cher Soliman. Réfléchissez :
rien, vous m'entendez, rien ne m'obligeait à vous
contacter cette nuit si j'avais décidé de faire cavalier seul. Malgré vos ignobles coups fourrés, je suis
toujours décidé à jouer franc-jeu avec vous.

« Vous ne pouvez sûrement pas comprendre
cette attitude, avec votre goût viscéral pour la traîtrise ; pourtant c'est ainsi. Dès que j'aurai le trésor
en ma possession, je vous préviendrai, je vous le
jure sur la tête de ma mère et, pour moi, ce serment
est sacré. Je pense que ce sera l'affaire de quelques

jours, pas davantage. Alors patientez ! Faites-vous
chipolater la zigounette, bouffez du caviar, vision-
nez des films hard, mais ne cherchez plus à me
fabriquer. Bientôt, je vous le dis, vous pourrez plon-
ger vos sales pattes dans les diams, rubis, saphirs,
émeraudes et autres pierres précieuses qui vous
empêchent de dormir. Je suis votre unique chance
de les retrouver. Commettez un écart, et vous
l'aurez dans le fion ! *A capito* ? »

Ce nouveau bruit que je perçois dans l'écouteur,
ce sont encore ses dents qui grincent, tu crois ? Dis
donc, il va faire sauter ses plombages, s'il continue !

— J'attends votre réponse, Toto. Vous êtes
d'accord pour interrompre les hostilités contre
moi ?

Un moment passe.

Et puis sa voix mourante, déformée par la rage :

— D'accord, monsieur Tiarko !

30

JE LE TROUVE AMITIEUX, MATHIEU.

Nous nous sommes installés à la terrasse. Il faisait un temps pour kermesse en plein air. Le village des Baux, perché sur sa falaise, paraissait être une découpe de la roche. Moment de félicité, si rare qu'il me faisait frissonner. M'man portait une robe légère, imprimée, dans les tons iris, avec des motifs verts. C'était la première fois que je lui voyais une toilette aussi pimpante. Elle paraissait dix ans de moins.

Je me suis mis à songer à son destin. Elle était jeune encore à la mort de papa, cette chérie. Elle n'aurait pas eu de mal à « refaire sa vie » comme on dit puis, chez nous, à Saint-Chef-en-Dauphiné, à retrouver un compagnon d'attelage. Seulement elle avait épousé mon dabe pour la durée de son existence à elle, et alors c'était inenvisageable, tu comprends ? N'en plus, j'aurais mal supporté qu'elle eût un second époux. D'autant que ç'aurait pu tomber sur un gusman pas franco du collier, gringrin, et qui loufe au lit.

— Pourquoi me regardes-tu ainsi, mon grand ?

— Parce que je t'aime.

Une expression d'indicible bonheur a éclairé son visage strié de fines rides grises.

— J'adore être ici, dit-elle.

— C'est bien pour cela que je t'y amène. Tu es d'ac' qu'on prenne un petit gigot en croûte, ce soir ?

— Je raffole de l'agneau.

— Et moi de la croûte.

On nous a apporté deux grands cocktails de jus de fruits frappés ; dans l'après-midi, c'est mieux de ne pas s'alcooliser.

Sans cesser de tirer sur mon chalumeau, j'ai regardé la piscine proche. Des adolescentes y batifolaient en poussant des cris d'enfants riches. Un ballon aux côtes multicolores suffisait à les exciter ; elles n'avaient pas encore l'âge du chibre, mais ça n'allait pas tarder.

A l'autre extrémité du bassin, des pensionnaires offraient leur peau au soleil provençal. Parmi ceux-ci, j'ai retapissé Gheorghiu Tiarko (le vrai). Il s'était allongé à plat ventre, le menton posé dans le creux de ses mains. Il contemplait les jeunes filles en fleurs sans concupiscence, mais avec intérêt tout de même. C'était un type brun, légèrement plus grand que moi. Nous avions le même âge à trois mois près.

Quand je lui avais proposé d'emprunter son identité pour quelques semaines, moyennant un défraiement « intéressant », il ne s'était pas trop fait prier. J'avais eu le sentiment de m'adresser à un homme pragmatique, un peu désabusé ; le genre de type qui vient de vivre des événements tumultueux, voire sanglants, et qui n'attend plus grand-chose du destin, sinon de pouvoir vivre en paix avec lui-même, en restant ignoré des autres, ces ennemis obstinés qui tant nous font chier et nous cassent les couilles.

Nous avons éclusé nos cocktails vitaminés sans presque causer. Quand Félicie est joyce, elle se drape dans une tranquillité grisante, kif une mar-motte en hibernation, et le temps dégouline sans bruit. Les sons perdent de leur réalité et les gens de leur fumiardise. On se croit aimé et vaguement immortel.

Le soleil faisait le grand écart au-dessus des Alpilles. Jean-André, le maître des lieux, qui res-semble davantage à un officier de marine qu'à un chef de cuisine, est venu nous serrer la louche et nous a annoncé qu'il venait de mettre au point une nouvelle recette de Saint-Jacques ; étions-nous O.K. pour servir de cobayes ? Tu connais mon héroïsme ? J'ai dit banco avec des papilles gusta-tives déjà en érection.

Là-dessus, Gheorghiu Tiarko (l'officiel) a quitté la piscaille dans un peignoir brodé *Baumanière*. Il marchait lentement en traînant des sandales à semelles de caoutchouc et des pensées pas bai-santes (cela se voyait à son expression maussade). Juste en arrivant près de ma table, il m'a aperçu. D'un regard tiré à quatre épingles, je lui ai intimé de passer son chemin et il a emporté sa viande humide sans broncher.

J'ai noté que Jean-André le suivait des yeux.

— C'est qui ? lui ai-je demandé, juste pour voir.

— Un Roumain en vacances. Comme il est seul, j'ai l'impression qu'il s'ennuie.

— D'où vient qu'il n'a pas de dame de compagnie ? Il est plutôt beau gosse ?

— C'est peut-être pas sa tasse de thé.

Et puis il nous a quittés pour ses fourneaux car c'était le moment de pousser les feux et de tourner les cœurs d'artichauts.

M'man est allée dans sa chambre se préparer pour la tortore du soir. Dîner aux photophores sur la terrasse, avec des lucioles vagabondes, la senteur exaltée de la garrigue et les projos orangés sur le formidable paysage des Baux.

Je me suis rendu à pied jusqu'à la cabine téléphonique du vallon d'où j'ai appelé l'hostellerie et, travestissant ma voix, j'ai demandé à parler à M. Gheorghiu Tiarko.

On me l'a passé tout de suite.

31

C'EST PAS UNE MAUVIETTE, PIERRETTE.

Minuit ! Moi j'aime...

Il y a un romantisme dans cette heure fatidique à cheval sur deux jours. Un mystère, toujours. Une confuse peur, aussi. L'heure du crime, quoi !

Donc, à minuit, je quitte *Baumanière*. L'hostellerie est vidée de ses clients.

Je descends le chemin qui conduit au vallon. J'ai pris la précaution de remiser ma voiture sur une petite aire de stationnement située dans un renfoncement discret et cette tire n'est pas ma Ferrari rugissante mais une chiotte passe-partout prise dans le parc automobile de la Maison Pébroque.

Aussi sec, je prends la voie de gauche dite du « Val d'Enfer ». La lune inonde le paysage extraordinaire qui évoque certains sites des montagnes Rocheuses. Il y a quelque chose d'irréel dans ce site grandiose qui me fait songer à des illustrations de Gustave Doré.

La route poudrée de blanc (écriraient certains de mes confrères qui ont conservé le style compofranc contracté en 4ᵉ) sinue entre les falaises percées de vastes cavernes résultant de l'extraction de cette bauxite d'où la cité a tiré son nom (1). Au départ, quelques vignobles partent à l'assaut des montagnettes, parées de larges panneaux portant les noms des crus récoltés. Mais, assez rapidement, le raisin lâche prise et l'univers se minéralise entièrement.

De gauche et de droite, des chemins pierreux, mal carrossables parce qu'abandonnés depuis longtemps, conduisent aux carrières désaffectées dont les énormes gueules noires paraissent prêtes à happer le touriste aventureux.

Je serpente sur quelques kilomètres. Puis, au sortir d'une courbe, j'avise, sur ma gauche, une esplanade prolongée par une sente menant à une ancienne mine. Un vaste panneau d'au moins dix mètres sur trois célèbre les qualités exceptionnelles des vins « Anatole Bezuquet et Fils, Ame de la Provence ».

Je stoppe à l'ombre d'un rocher (car la lune provençale éclaire à Giono), coupe le moteur et sors de la tire. L'air embaume la garrigue. Et les hommes qui roupillent pendant ce temps, les pauvres, gavés de boustifaille et de téloche, qu'en sus, maman qui a ses ragnagnas a repoussé leurs évasives avances ! Ah ! la grandeur du quotidien, je te jure !

Une énorme pierre n'attendait que mon cul. Je le lui confie après m'être placé face à la vallée. Oh, l'enchantement ! Instant rare, somptueux. Présent ineffable d'un Créateur qui n'aurait pas dû nous

---

(1) Sinon, elle s'orthographierait « les Beaux » et non « les Baux ».

vouloir si nombreux ! Qu'un jour on finira par se marcher sur les testicules, bordel ! C'est pourquoi, en attendant, faut pas y laisser perdre, comme disait mémé.

Je regarde la route en lacet que je viens de parcourir, guettant les phares d'une guinde. En attendant, je gamberge à propos du véritable Tiarko. Un zigus curieux : solitaire, homme d'action, ça ne fait pas de doute. La chute de son boss et de sa rombiasse ont profondément modifié sa vie. Mais comme c'est un battant, il s'est converti à des occupes moins périlleuses. Heureux, somme toute, d'avoir pu sauver sa peau et repartir du bon pied.

Lorsque tout ce bigntz m'a échu, j'ai longuement étudié le topo avec quelques spécialistes des questions marginales. Ces messieurs ont rassemblé des chiées de rapports en tout genre dont je te fais grâce car tu n'en as rien à secouer. Peu à peu on a déterminé par quel bout il convenait de bicher l'écheveau, qu'écrirait un grand du roman policier qui n'a peur ni des mouches ni des clichés. Alors, partant du brin de laine qui dépassait, on a embobiné gentiment le tout. Et maintenant voilà. On achève bien l'écheveau. La photo aérienne de l'affaire nous a désigné Tiarko comme étant la carte jouable. On l'a jouée.

On savait le prince Draggor obnubilé par les cailloux du pauvre Pahlavi. C'était le seul argument qui pouvait nous permettre de le manœuvrer. Alors on a misé à mort sur le Roumain pour bâtir un scénario nous permettant d'avoir barre sur Sa

Majesté. On s'est dit que, seul, un ancien familier des Ceauşescu serait crédible.

Des mois, mon chéri, pour préparer le leurre, amener mine de rien le monarque des « mille et deux nuits » à s'assurer la collaboration de l'ami Tiarko. L'initiative devait venir de lui. Jamais je ne me suis trouvé aux prises avec une affaire aussi délicate, aussi subtile à gérer. Autant organiser un bal populaire sur un champ de mines (1). Que d'efforts, de temps, d'argent, consacrés à une cause juste, mais quasiment inabordable.

Et à présent...

Je cesse de rétrospecter. Dans la vallée j'aperçois les phares d'une calèche à pétrole. Probablement celle de l'homme dont j'ai, avec son consentement, pris l'identité. J'attends avec ce détachement qui m'envahit chaque fois que je joue à la belote avec un carré d'as ou de valets en pogne.

L'arrivant roule d'une allure moyenne, en respectant la limitation de vitesse. J'ai souvent remarqué que les pilotes d'avion, une fois à terre, sont des tomobilistes prudents. Leur job, c'est tout là-haut, ils se gaffent du plancher des bovins.

La chignole survenante ralentit dans le virage précédateur. Oui : il s'agit bien de la caisse verte du camarade roumain.

Il vire sans hésiter sur le terre-plein et remise son os près du mien.

— Bonsoir, monsieur Tiarko ! me fait-il, sans sourire.

---

(1) Elle est bien, celle-là, non ? Conne, mais efficace. Je vais essayer de t'en trouver d'autres.

Et moi, je lui réponds :
— Bonsoir, monsieur Tiarko !

« Si qu'on plaisanterait pas, de temps en temps, la vie d'viendrerait vite un tas d'merde », assure Béru qui s'y connaît car il est orfèvre en la matière.

32

IL A UNE CHOUETTE POINTE BIC, ÉRIC.

Au clair de la lune, mon ami Pierrot me semble fort différent de l'espèce de sosie que j'ai tenté d'être. Plus grand que moi, je te le répète, mais un tantisoit voûté (par l'adversité, sans doute), les pommettes plus haut perchées que les miennes et le regard enfoncé, ou alors ce sont ses pommettes qui proéminent ? La glotte saillante comme un qui vient de s'étrangler avec un as de pique. La bouche un peu tombante telles les baffies d'un Tartare, il est, en toute immodestie, moins sympathique que mézique, ou alors j'ai une trop grande considération pour ma personne.

— Vos « vacances » se passent bien ? lui demandé-je après un serrement de main en comparaison duquel celui du Jeu de paume n'était que de la roupette de pensionné, comme dit Bérurier.

— Hélas, oui, fait-il : je grossis à trop manger et trop dormir. Vous pensez que je dois prolonger mon séjour dans ce paradis ?

— Il tire à sa fin, mon cher ; je vous demande encore trois à quatre jours de patience.

Il opine.

— Ne restons pas sur cette esplanade, dis-je, nous attirerions l'attention de quelque automobiliste noctambule.

Péremptoire, j'emprunte le chemin abandonné menant à la carrière toute proche. Il m'escorte sans poser de question. La végétation a repris le dessus, comme toujours. Il y a des liserons aux fines lianes tourmentées en travers de la route qui servit à l'extraction de la bauxite détentrice du minerai.

J'atteins l'ouverture, béante comme le cadre de scène du Châtelet. Des chauves-souris au vol rasant tournoient devant cette grotte artificielle.

— Drôle d'endroit, murmure Tiarko.

— C'est tranquille, ironisé-je en m'asseyant sur un quartier de minerai.

Il m'imite. Le sol est jonché de blocs taillés de façon géométrique, tout indiqués pour servir de bancs.

— Votre mission progresse ? questionne le Roumain.

— Elle arrive à son terme, après bien des péripéties.

Il esquisse un léger soubresaut.

— Qu'avez-vous, mon cher ? lui demandé-je-t-il.

— Une bête m'a piqué à la nuque, assure l'aviateur en portant la main derrière son oreille gauche.

— Voulez-vous que nous ressortions ?

Il me répond par un bredouillis inaudible, puis son bras retombe, son buste chancelle et le véritable Tiarko choit comme : un pantin de son, une chaise dont un pied est cassé, une merde, les cours de la Bourse de Tokyo après un tremblement de terre, la bite du duc d'Edimbourg, une poire trop mûre, les seins de la pauvre reine Fabiola qui ont pourtant si peu servi.

Je freine de mon mieux la foirade du gazier, pas qu'il se pète la gogne contre l'arête d'une roche.

Aussitôt, une forte lampe s'éclaire, mettant de la fantasmagorie plein l'immense grotte. Deux silhouettes d'hommes s'avancent derrière l'aveuglante clarté.

— Bien touché, hein ? demande la voix de M. Blanc.

— Dans le mille, réponds-je. Tous mes compliments, dans le noir, ça n'a pas dû être fastoche.

— Tu oublies les infrarouges, fait Mathias, le second personnage surgi des ténèbres.

Le faisceau balaie le sol et vient cueillir le Roumain inanimé. Celui-ci paraît dormir. Il y a même une parfaite sérénité sur son visage.

Jérémie qui porte la loupiote, la dépose sur une roche et l'oriente sur les profondeurs de l'ancienne carrière.

— Où avez-vous laissé votre chignole, les mecs ?

— Dans la carrière qui précède.

Mathias tire de la poche de son cardigan une trousse qu'il se met en devoir de déballer.

— Vous voulez bien dénuder un de ses pieds pendant que je prépare l'injection ? demande-t-il.

Les reflets de la torche mettent des lueurs d'incendie plein sa chevelure flamboyante.

— Tu le piques au pinceau ? m'étonné-je.

— Sous l'ongle du gros orteil ; ça ne laisse

aucune trace. S'il éprouve une douleur par la suite, il ne s'en étonnera pas : il est fréquent qu'on souffre d'un doigt de pied.

J'admire le parfait sang-froid du Rouquemoute. Avec des gestes calmes et donc précis, il prépare une petite seringue, casse une ampoule de verre...

— Parle-moi de ce que tu lui injectes, Blondinet.

— C'est tout récent.

— Mais encore ?

— Le produit annihile totalement le self-control de l'individu. Lorsqu'il a reçu l'injection, il est livré complètement à ta volonté. Tu peux lui poser n'importe quelle question, s'il en connaît la réponse, il te la livre.

— J'ai expérimenté un truc de ce genre en Andalousie, de la part d'un toubib asiatique. Et ensuite ?

— Ensuite rien. Il ne sait même plus qu'on lui a fait une injection et, a fortiori, posé des questions.

Le Rouque procède. On le regarde avec un certain respect, Jérémie et ma pomme, nous disant que c'est impressionnant, la science appliquée.

Les chauves-souris, affolées par la lumière de la torche électrique, volettent avec égarement, frôlant nos têtes.

L'une d'elles, plus hardie ou plus apeurée que ses potesses, se plaque sur nos tifs et on regrette alors de ne pas avoir la coiffure du cher Daniel Boulanger (qui ne me donne pas suffisamment de ses nouvelles) (1).

_____

(1) On m'a dit qu'il allait habiter boulevard Bonne-Nouvelle.

— Voilà ! fait Mathias en se relevant. Il n'est plus que d'attendre.

— Combien de temps ? s'informe le Noirpiot.

— Quelques minutes ; c'est variable selon la morphologie des sujets. Nous saurons qu'il est « à disposition » lorsqu'il rouvrira les yeux.

On patiente en discutant le bout de gras. Si j'avais su, j'aurais amené une bonne bouteille pour mieux convivre, les trois. Chose surprenante, nous ne parlons pas de l'affaire, comme si on se réservait pour l'instant où le Roumain sera opérationnel.

Une tinée qu'on ne s'est vus, avec cette affure baroque à laquelle je me suis complètement consacré. J'ai le genre poulardin qui s'investit, tu l'auras remarqué ? Alors, je les questionne sur leur vie privée.

Pour M. Blanc, tout baigne. Comme sa situasse est montée en première ligne, Ramadé, son épouse, suit des cours par correspondance : français, philo, anglais, car elle doit bien « figurer » lorsqu'il la sort. Ils vont changer d'apparte, quitter le 18e pour un duplex « de charme » rue Dauphine (à trois pas de la Grande Taule).

Plus « élaboré » est le chemin du beau Rouillé. Sa nièce et assistante-maîtresse qui avait rompu leur liaison, pour épouser je ne me rappelle quel connard, divorce après avoir découvert que son époux prenait du rond. Il la console de son amère désilluse en la fourrant trois fois par jour. Peut-être que lorsque ses dix-neuf enfants seront mariés, il l'épousera ?

On stoppe ces aimables confidences amitieuses

quand on s'aperçoit que le sieur Tiarko nous considère d'un œil pâteux.

— A toi de jouer, Antoine ! invite l'Incendié.

Je ne me fais pas prier, m'installe au côté de
l'aviateur en vacances.

Il se trouve dans un état presque comme ma
queue, dirait Gérard Barray. Sa tronche embarde
et il a quelque difficulté à la replanter au bout de
son cou. Ses yeux, tu croirais deux taches d'encre
sur du papier buvard.

— Ça va, Gheorghiu ? lui demandé-je en roumain.

Il émet quelque chose qui doit être une affirmation.

Histoire de tester l'annihilation de sa volonté, je
murmure :

— C'est quoi votre passion, en amour ?

Il bredouille lamentablement.

— Parlez plus fort, cher camarade.

Il s'applique. Ne fait aucun chichi pour m'expliquer qu'il adore être fouetté pendant qu'il morfile
l'abricot d'une jouvencelle. Je considère qu'une
pareille confidence prouve que cet homme se livre
complètement.

— Vous vous en êtes magnifiquement bien tiré
au moment du soulèvement, lui dis-je. La plupart
des familiers de Ceauşescu sont morts ou embas-
tillés, alors que vous voilà tranquille, en Angleterre,
à la tête d'une petite compagnie d'avions-taxis qui,
non seulement fonctionne bien, mais ne représente
qu'une partie négligeable de vos avoirs.

— C'est vrai, qu'il balbutie l'ami Tiarko.

— Il faut dire, poursuis-je, que vous avez

manœuvré de main de maître. Vous êtes génial dans votre genre, cher vieux.

Il dodeline avec, aux lèvres (et où voudrais-tu qu'il l'eût ?), un sourire béat (comme il est à terre, c'est le *béat bas*).

— Oui, votre façon de procéder fut absolument fumante, reprends-je. *Dans cette action, le coup de génie a été de débarquer le trésor dans un endroit secret, puis d'aller vous poser en Italie avec l'autre partie du butin et de vous y laisser confisquer votre chargement.* Vous pouvez être fier de vous, Gheorghiu.

— Merci ! qu'il me dit en souriant aux anges (à moins que ce ne soit aux chauves-souris).

— En agissant de la sorte, poursuis-je, vous faisiez passer à l'as la partie clandestinement sortie de votre coucou. Beau travail ! Personne n'a pu vous soupçonner, d'autant plus que les Ceauşescu ont été liquidés comme des malpropres.

Sous l'effet de la drogue, il ne se rend pas compte, l'empaffé, qu'il est en train de ruiner son coup.

C'est le moment pour le gars Mézigue, enfant prodige cher à Félicie, de piquer une tête du plongeoir :

— Où avez-vous largué le trésor Izmir, mon petit Gheorghiu ?

— Dans la région de Zagreb, à l'aéro-club de Nyvapa, répond docilement le cher garçon.

— Vous aviez quelqu'un de confiance qui vous y attendait ?

— Mon oncle de Londres.

— Avec un jet privé ?

— Un Bozon Verduraz 611 à Smelflex.

— Il avait acheté les employés de l'aéroport ?

— Même pas. C'est un terrain à l'abandon.

— Donc vous avez déchargé en vitesse le trésor Izmir et poursuivi votre route jusqu'en Italie ?

— Affirmatif.

— Votre oncle, lui, s'est hâté de regagner Londres ?

— Non. C'était trop risqué de ramener les joyaux en Angleterre où le contrôle aérien est très strict.

— Alors ?

Si je t'avouais que mon cœur bat la Chamalières, comme dit le bon président Giscard d'Estaing. Une peur incoercible de voir cesser brusquement l'effet de la piqûre me mord les testicules. Là ! Tu vois ? Y a encore la trace des dents !

Mais j'ai tort de me biloter. Mon Roumain m'accroche la crémaillère sans vidanger ses ballasts.

— En Irlande, fait-il, à l'aéro-club de Kelkonery, dans le Connemara.

— Qu'a-t-il fait du trésor ?

— Il a loué un coffre à la Mekhouil Bank de Bigbitoune pour y déposer le trésor.

— Il y est encore ?

— Qui songerait à aller le chercher dans ce coin perdu d'Europe ?

— Ça, vous pouvez le dire.

Je lui souris triste. Je commets une sorte de viol : celui de sa conscience. Mais n'est-ce pas la base de notre putain de métier ?

Au bout d'un moment de réflexion, donc de mutisme, je réagis. Le compteur tourne. Lorsque la

potion magique de l'Incendié cessera ses effets, il
redescendra sur terre, l'aviateur.

— Qui a la signature de ce coffre ?

— Mon oncle et moi.

— Signatures jointes ?

— Non, nous devons pouvoir y accéder séparément.

— Vous avez donc confiance en votre parent ?

Ma question le surprend, puis le choque.

— Il est comme mon père et je lui dois beaucoup, pour ne pas dire tout.

— Vous avez déjà tapé dans le trésor ?

— J'ai prélevé des pièces mineures dont la vente
m'a permis de créer mon affaire d'avions-taxis.

— Dites, c'est formidable de disposer d'une
manne pareille.

— Oui, j'ai une chance folle.

Re-silence. Derrière le Roumain, le *Red* me fait
des signes en tapotant sa montre de poignet. Il
m'avertit que mon vis-à-vis va bientôt réintégrer sa
personnalité habituelle.

— Dites-moi, Gheorghiu, ça vous ennuierait de
me faire un mot pour votre tonton ?

— Mais pas du tout.

Déjà, le Blanc-d'ébène apporte le bloc de correspondance et le stylo dont je l'avais prié de se
munir. Je glisse ce dernier entre les doigts de mon
« patient ».

— Comment appelez-vous votre oncle ?

Il me cite un diminutif : « Zef ».

Je commence à dicter :

— *Cher Zef,*
Je t'adresse mon ami Antoine en qui tu peux avoir

toute confiance. Je voudrais que tu l'emmènes à Big-
bitoune et lui montres ce que tu sais. C'est très très
important. Je serai de retour la semaine prochaine.

« Vous signez d'une façon intime lorsque vous lui
écrivez ? » demandé-je.

— Gheo.

— Alors, signez « Gheo ».

Il.

Je prélève la feuille écrite, la secoue pour hâter
le séchage de l'encre, la plie en quatre et la glisse
dans mon porte-cartes.

Jusqu'à présent, tout baigne dans l'huile d'olive
vierge (on est en Provence, non ?).

— Maintenant, mes chéris, il est temps de nous
séparer, fais-je à mon tandem d'élite. Rendez-vous
dans le Connemara mardi prochain. Descendez
dans le meilleur hôtel du patelin, si toutefois il en
existe un, et buvez de la Guinness en m'attendant.

Ils décarrent, non sans remporter leur lampe.

Demeuré seul avec le Roumain, je l'invite à quitter la carrière. Il se déplace à mon côté, d'un pas
cotonneux. L'air fraîchouillard de la nuit nous
caresse tendrement le visage. Les étoiles bien asti-
quées brillent au firpapa. Ça sent bon le thym et le
romarin.

— Asseyons-nous sur ce bloc de pierre ; ne trouvez-vous pas qu'il a la forme d'un banc ?

Tiarko ne me répond pas, mais s'assoit. Il se
prend la tête dans les mains comme un qui a besoin
de réfléchir à fond la caisse.

Je respecte sa méditation.

33

ELLE SE PLANTE DES ÉPINES,
PHILIPPINE.

Le garage termine une longue rue bordée de maisons identiques. Elles sont charmantes, mais leur multiplication tourne au cauchemar. Comment qu'il s'y prend, le gars murgé, pour rentrer chez lui quand il fait sombre comme dans le trou du cul du lord-maire ? Doit se produire des erreurs, fatal. T'as bien, de temps à autre, un mister Smith qui pénètre dans la crèche d'un mister Brown et lui embroque sa rombiasse sans même y prendre de plaisir parce qu'il croit que c'est la sienne, non ?

Le garage (en anglais : *garage*) du tonton se situe à l'extrémité de cette voie paisible. C'est un établissement important, pimpant, que jouxte un parc à voitures où sont présentées des Mercedes d'occase dont le prix est écrit en grand (et en livres) sur le pare-brise. L'atelier est vaste. Il comprend plusieurs ponts destinés à soulever les guindes, des trousses à outils roulantes, des appareils modernes qu'on se demande à quoi-que-ça-sert.

Près de l'entrée à la double porte coulissante se

trouvent les bureaux vitrés. Le premier est celui de la réception. Y sévit un râtelier à perruque acajou, appelé Mary, si l'on en croit la plaque noire, aux lettres dorées, placée devant un ordinateur.

L'énorme dentier me demande ce que je désire, avec une amabilité qui doit mettre en fuite les colporteurs.

Je réponds à cette mâchoire que je souhaite rencontrer mister Swetzla, de la part de son neveu Gheorghiu.

L'exquise hôtesse me déclare à travers la grille de ses quarante ratiches (elle a beaucoup plus de trente-deux chailles, avec une usine à croque pareille) que son garaco de patron est occupé avec un client et que je dois attendre.

Justement : y a un fauteuil de cuir pile en face de son burlingue. Une fois naufragé là-dedans, t'as deux possibilités : t'endormir ou mater l'entrejambe de la réceptionniste. Etant d'une nature curieuse, j'opte pour la seconde proposition.

La perruque rousse à mâchoires Samson ne tarde pas à découvrir l'objet de ma contemplation. Un imperceptible sourire détend sa boîte de dominos. Avec gentillesse, elle desserre ses gambilles, ce qui me livre illico une vue éblouissante sur un slip rose bordé de fine dentelle blanche. De part et d'autre foisonnent des broussailles incendiées. Les cuisses précédant ces merveilles sont cuivrées par des constellations de taches rousses.

Je me dis, devant une telle splendeur, que l'existence est bien étrange, qui fait s'entremêler excitation et répulsion de manière si subtile.

— Juste encore un peu ! murmuré-je.

Elle referme ses cannes.

— *Oh ! please !* imploré-je-t-il d'une voix qui saurait débiter du Shakespeare.

Aussitôt, elle les rouvre. On dit, l'Angleterre, mais elle sait se montrer généreuse parfois, quand ça ne lui coûte rien.

Ma forte connaissance des femmes me porte à penser que cette tarderie doit être une affure carabinée dans les transports urbains. Le point périlleux c'est de l'escorter à l'*Hôtel du Morpion Fantasque* car tu dois essuyer nombre de regards stupéfaits. Tu penses : un beau zig comme moi avec ce masque de carnaval ! Quoique, dans ce pays, si l'on y trouve les plus belles filles d'Europe, de temps à autre, ce sont surtout des sujets pour musée des horreurs que tu y croises.

— Vous êtes mariée ? je questionne.

— Divorcée.

Œuf corse, il a dû enfourcher la première cavale qui passait à sa portée, son milord ! Au moment que j'écris ça, il continue de piquer des deux à travers les landes d'Ecosse, Johnny Guitare.

— Vous habitez seule ?

Soupir de la mâchoire, long comme les sanglots des violons de l'automne.

— Eh oui !

— Je peux vous demander votre prénom ?

— Mary.

— J'adore.

Là, je morfle en pleine poire l'éclat de ses ratiches titanesques fourbies à l'Email Diamant britiche.

Elle a ouvert ses jambons aussi largement que le

lui permet l'écartement du burlingue. C'est davantage qu'une invite, c'est une convocation.

— Vous me donneriez votre nom et votre adresse si je vous les demandais ?

— Mary Wood, 4 Fornication Street, répond-elle spontanément.

— Supposez que je sonne à votre porte ce soir, sur le coup de neuf heures, comment réagiriez-vous, Mary ?

Son sourire est intense comme le faisceau d'un projecteur de D.C.A.

— Ma foi, je vous ouvrirais.

— Ça part d'un bon sentiment, *darling ;* mais je veux en avoir le cœur net et je tenterai l'expérience.

— Hmmm hmmm ! elle fait, car les Britanniques ont un sens inné de la conversation.

Et puis voilà que la porte du burlingue directorial s'écarte et le tonton en sort, escortant un grand con habillé de maigre qu'on verrait mieux derrière un corbillard qu'à la foire du Trône.

Mister Garagiste, lui, est un homme très brun, avec une brioche de quinquagénaire qui bouffe à sa faim, un début de calvitie et un gros tarbouif d'où jaillissent des gerbes de poils frissonnant au gré de sa respiration. La frime du brave homme ! Il doit garagister comme tous ses confrères et éponger gentiment le clille en s'efforçant de lui donner satisfaction. La fossette qui lui troue le menton fait penser à un anus de bébé.

Son anglais est chantant, ce qui ne gâte rien. J'aime son regard clair car je crois y déceler quelque chose qui ressemble à de la gentillesse.

Lorsqu'il a shakhandé son visiteur, il se tourne vers moi.

— *Yes, sir ?* il fait.

— Je crois savoir que presque tous les Roumains parlent français ? lui fais-je-t-il.

Ses gros lampions s'éclairent. Il me tend une bonne main qui fut longtemps manarde.

— En effet. Qu'y a-t-il pour votre service ?

Il parle avec un accent proche de l'italien, mais c'est du Canada Dry.

Je tire de ma profonde la babille de son neveu. Il sort, quant à lui, ses lunettes de sa poche-poitrine et prend connaissance du poulet. Ce texte paraît lui causer un certain mécontentement. Pourtant, il reste aussi hermétique que le morlingue d'un Ecossais ou encore la porte d'entrée d'un sous-marin en plongée.

— Je ne comprends pas, déclare cet homme exquis.

— Gheorghiu fait allusion au trésor Izmir, monsieur Swetzla, l'éclairé-je-t-il avec le sourire charmeur d'un bijoutier turc qui essaie de te fourguer une topaze fabriquée par son beau-frère ferblantier.

Comme il reste de marbre (de bronze ou de bois collerait également), je reprends :

— Les joyaux vous ont été remis à l'aéro-club de Nyvapa proche de Zagreb par votre neveu, lequel a repris aussitôt son vol en direction de l'Italie. Vous, vous vous êtes dirigé sur l'Irlande et vous êtes posé sur le petit terrain de Kelkonery, d'où vous avez rallié la ville de Bigbitoune. Une fois là, vous avez loué un grand coffre à la Mekhouil Bank et y avez déposé le trésor. Par la suite, lorsque notre brave Gheorghiu a eu gagné l'Angleterre, vous êtes retourné tous deux dans le Connemara afin de régulariser la situation relativement à la signature conjointe du C.F. Mon cher ami Gheorghiu y a prélevé quelques pierres point trop tapageuses, mais qui lui ont suffi pourtant à créer sa petite compagnie d'avions-taxis.

Un silence.

J'ajoute, le plus simplement du monde :

— Et voilà !

Lui souris avec innocence.

Son gros regard bleu est plein de détresse. Des chiées de questions se pressent au portillon de sa gamberge.

Il m'en lâche une :

— Où est Gheorghiu ?

— Il se cache dans le midi de la France.

— Pour quelle raison ?

— Devinez.

— Je ne vois pas...

— Voyons, vous devez bien penser que le Savama, c'est-à-dire les services secrets iraniens, depuis la fuite de la famille impériale, est à la recherche du trésor Izmir. Ce sont des gens tenaces qui le dirigent ; les années qui s'écoulent ne les découragent pas.

— Ils sont sur la trace de mon Gheo ? demande le brave bonhomme d'une voix enrouée.

— Oui, monsieur Swetzla.

— Seigneur ! fait-il simplement.

Ses énormes lampions se gélatinent de larmes, comme l'écrit si joliment M. Maurice Schumann dans son livre qui lui a valu d'entrer à l'Académie française.

Il parvient à dominer son émotion.

— Je le savais, murmure-t-il. Je lui avais dit que cette affaire me paraissait folle ! Mais à vivre en compagnie de cette canaille de Ceauşescu, il a perdu toute mesure !

Nouveau silence. La réceptionniste à dents entre pour faire signer une pièce urgente au boss. Je découvre qu'elle a des yeux par-dessous ses cheveux d'incendie survolté. Deux yeux clairs striés de légères sanguinolences qui achèvent de lui donner l'aspect d'une affiche pour le défunt Grand-Guignol.

Son regard de femme en rut se plante dans le mien, brillant comme un nœud qui vient de donner de l'agrément à une dame.

Non, Sana, t'as pas le droit de louper une telle expérience. Pas toi !

34

PLEIN LA POIRE, MAGLOIRE.

Fornication Street se trouve dans la banlieue est de London. Il s'agit d'une grande rue un peu tristounette où les immeubles sont noirs et les passants gris foncé. Une voie ferrée la borde sur un côté, ajoutant à la joie ambiante. Tu te trouves plongé dans un de ces décors dont mon cher Marcel Carné avait le secret. Les amours doivent y être désespérées, soit parce qu'elles sont sans lendemain, soit au contraire parce qu'elles ont des lendemains qui n'en finissent pas et font chier tout le monde.

La belle secrétaire du tonton crèche au sixième étage d'une maison qui porte encore sur sa façade des traces de la dernière guerre. Comme elle est sans ascenseur, tu te prends les pinceaux dans ta menteuse avant de parvenir à destinance.

La superbe Mary m'attendait, je présume, car la porte s'ouvre avant que mon index n'entre en contact avec son bouton de sonnette ; je le mets donc en réserve pour son autre, plus intime.

Madoué, quelle apparition !

Mary Wood (qui n'est pas de bois) a remonté sa rouquinante tignasse (de Loyola) (1) en torsades, lesquelles finissent par composer sur sa tronche une espèce de tiare. Son visage étroit étant dégagé révèle à quel point il héberge des taches de rousseur. Une véritable pléiade ! Ce masque pain-brûlé met en valeur son regard d'aigue-marine. Je note l'extrême largeur de la bouche, ce qui m'est un sujet de satisfaction car j'aime mon confort. Malheureusement, la dimension de sa denture empêche ses lèvres de se joindre, d'où ma perplexité.

Elle porte une robe légère d'un vert qui sied à sa peau ; ladite robe est tellement échancrée que ses nichebabes font songer à deux fruits jumeaux dont l'ampleur a fait éclater la cosse qui les emprisonnait. Là, vraiment, la réussite est complète !

J'adore qu'une baiseuse planture de l'avant-scène. T'as des politiques qui raffolent des bains de foule, moi c'est des bains de seins. Plus y en a, davantage c'est goinfrant car, que tu le veuilles ou pas, l'homme est AUSSI sur cette planète pour s'assouvir.

— Entrez vite ! qu'elle m'enjoint.

Son impatience est si vive qu'elle me rabote le fouinozoff avec la lourde en la refermant. Puis se jette sur moi, me noue ses beaux bras marqués de roux autour du cou et, séance tenante, m'enquille dans la trappe une menteuse qui ferait crever de jalousie un caméléon. C'est *too much !* D'autant qu'elle a bouffé un truc à l'oignon ! Or, tu le sais,

---

(1) J'aime bien refaire celle-ci, de temps à autre, pour mes potes jésuites.

cette plante à bulbe constitue un de mes cauche-
mars ; c'est ce qui me débecte le plus au monde
après la connerie et le dégueulis de vieillard hépatique. Tant qu'à faire, je préfère lui groumer la voie
royale.

Je l'allonge sur un canapé un tantisoit débriffé et
lui dégage le tunnel sous la Manche. Madoué ! sa
cressonnière luxuriante est de couleur acajou. Je
vais avoir la sensation de bouffer le bonnet d'un
horse-guard, méziguche ! Déjà pour lui déblayer le
terrier à bites faut de la patience, tellement que la
région est inextricable ! Je m'attelle à la tâche en
débrouissaillant de mes deux mains râteleuses cette
chatte buissonnière.

Juste comme je commence à déboucher de la
forêt, le bigophone retentit. Une fois seulement. Je
vais pour me remettre au turbin quand la sonnerie
remet ça. Deux fois !

La môme me refoule avec ennui.

— Excusez-moi, *darling,* mais ça va recommencer.

— C'est un code ? je lui fais en homme qui
connaît à peu près toutes les astuces usuelles de la
vie.

Elle sourit :

— Oui : un vieux copain qui me demande de le
rappeler.

Probable que son mironton doit être affublé
d'une vieille peau caractérielle qui l'oblige à ruser.

— J'en ai pour une minute, fait la rouquinette
en s'esbignant dans la pièce voisine dont elle
referme la lourde.

Si je te disais que j'ai envie de me casser ? Déci-

dément, cette greluse me débecte davantage qu'elle
ne m'attire. On est bizarres, nous autres, les gan-
dins !

Mais avant de jouer rip, j'ai un réflexe de poulet :
je décroche l'appareil qui se trouve dans le living,
me disant que cet apparte modeste n'est sûrement
pas équipé de deux lignes et que le poste de la
chambre et celui du salon restent en liaison. Je plaque ma main sur l'émetteur et porte le combiné à
mon oreille (où voudrais-tu que je le mette ?).

Illico dare-dare, j'identifie la voix de l'oncle garagiste à son accent roumain :

— ... Oui, l'homme qui est venu en fin de journée... Le Français... C'est un homme dangereux.

Là, une exclamance de Mary qui ressemble assez
à une plainte.

— Mon Dieu !

Mais tonton n'en a cure.

— Demain matin à sept heures, trouvez-vous à
l'aéro-club de Bigbrak. Un petit Jet vous y atten-
dra, piloté par un gars à moi. Il vous conduira en
Irlande, à Bigbitoune ; je lui remets la clé d'un coffre de la Mekhouil Bank avec mes instructions, ainsi
qu'une procuration authentifiée. Vous retirerez une
valise assez lourde se trouvant dans le coffre et vous
vous ferez conduire à l'hostellerie *Justelittle,* sur les
rives du lac O'Dam. Une fois là-bas, attendez-moi.
Vous m'avez bien compris ?

— *Yes, boss !*

Presto, je raccroche et fonce me vautrer sur le
canapé qui doit servir d'aérodrome à zobs. En deux
machins trois choses, je tombe ma vestouse et mon
bénoche.

Lorsque la greluse revient, elle me trouve seulement vêtu de mes chaussettes italiennes (l'une de mes coquetteries), avec la membrane à coulisse qui fait la belle, toute rouge et luisante comme la bouille de M. Monory.

Je lui tends les bras de la passion.

Au lieu de s'y précipiter, elle reste immobile et murmure :

— Je... je suis navrée (en anglais *I am sorry*).

Je chique au bandeur qui reçoit des coups de badine sur le chauve à col roulé :

— Qu'y a-t-il, belle chérie ? Une mauvaise nouvelle ?

Elle se cramponne à la perche que je lui tends comme un morpion à demi noyé dans un bidet s'agrippe à un poil de cul providentiel.

— Ma mère..., qu'elle bredouille.

— Quoi, belle chérie ?

— Un accident. Elle est tombée dans son escalier. Il faut que j'aille à l'hôpital.

— Voulez-vous que je vous y conduise ?

— Non, merci, j'ai ma voiture ; je ne sais pas à quelle heure j'en ressortirai.

Là, je lui place le petit couplet de la compassion, lui mets mon joufflu dans la main, qu'elle mesure de tastu ce qu'elle perd.

Malgré la défiance que je dois doré de l'avant lui inspirer, elle me pétrit la durite en soufflant fort du tarbouif, se disant, la pauvrette, qu'un paf de flic (si j'en suis un) vaut n'importe quel autre chibre, qu'il soit de manar, de rabbin, de déménageur de pianos ou d'ambassadeur de Sa Majesty Poupette

II, laquelle reste si avenante malgré ses chapeaux de cirque et ses bas à varices.

Un bref instant, je songe qu'il va me falloir y aller du palonnier, et puis non : la raison l'emporte et cette survoltée de la houppe abandonne ma hallebarde.

Je me reloque en la suppliant de « quant-est-ce-qu'on-se-revoye ? ».

Elle me dit « Bientôt ». Je lui assure que j'attends déjà ce moment béni et que j'ai plein de projets dans lesquels sont impliqués : sa bouche, ses niche-babes, sa fente avant et même, au cas où elle aimerait prendre du rond, son oigne moleté.

Ça la touche. Je pressens qu'elle va se calmer les nerfs avec son mortier à aïoli lorsque j'aurai mis les adjas.

Elle m'offre ses lèvres qui fouettent toujours l'oignon. Si au moins elle pouvait commencer une cure de désintoxication, se rabattre sur l'ail et l'échalote, histoire de pas être trop brutalement en manque !

Un petit coup de main ouverte dans sa toison de cuivre et je la plante (à genêt) pour foncer à mon hôtel où, je crois que tu le devines, j'ai pas mal de coups de turlu à passer à des gens qui ont toute ma confiance.

35

SERRE BIEN LES CUISSES, CLARISSE.

Je te passe au lendemain, ne voulant point trop abuser de ton temps.

Après quelques téléphones, donnés de voix de maître, je confie mon corps surmené aux draps immaculés de l'hôtel *Dorchester*. Instant incoercible, comme le dit un promeneur de serpillière albanais de la gare du Nord.

Sommeil franc et massif, en cœur de chêne taillé dans la masse. Une dorme sans escale jusqu'à *eight o'clock,* heure que j'avais moi-même programmée. Douche nourrie. Loquage du mec, n'ensuite brique-faste dans la salle à croquer du fameux hôtel. Si je n'aimais pas l'Angleterre, j'adorerais tout de même les petits déjes qu'on y savoure.

Je suis toujours fasciné par les victuailles proposées : charcuteries, saucisses et lard grillés, œufs frits, coque ou brouillés, céréales, fromages, confitures (et quelles ! dans tous les bleds où l'on se fait un peu chier, la conf' est prodigieuse), pâtisseries, fruits.

Sachant que c'est dans ce cher vieux pays le meilleur repas de la journée, je remplis mon garde-manger. Et c'est donc un homme en pleine disposition de ses moyens qui part rejoindre tonton Swetzla à l'aéroport.

Voyage bref et sans incident.

Une fois de plus, c'est l'oncle roumain qui pilote. Une vocation, dans cette famille ! Chemin volant, il me parle de son neveu, choisi par les Ceauşescu à cause de ses qualités professìonnelles. Hélas ! il a gagné leur sympathie ! Fâcheux quand c'est un tyran qui t'a à la chouette. Ça rutile tant que celui-ci tient le couteau par le manche, mais ça cacate lorsqu'il l'a planté dans son dos ! Gheorghiu a obtenu des honneurs, des prébendes. Seulement plus duraille est la chute. S'il n'avait eu l'heureuse initiative de jouer cassos avec le coucou affrété pour le dictateur et sa mégère, il aurait été balayé tel un étron par le vent de l'Histoire !

Tout en devisant amitieusement, on se pose comme des fleurs sur la piste équivoque de Kelkonery.

Temps grisâtre, avec des jaspages blancs. La mer n'est pas dans son assiette, aujourd'hui. Le garaco a téléphoné et un taxi nous attend avec sa vieille gueule, sa vieille pipe, sa vieille guimbarde. Une authentique illustration pour un album consacré à l'Irlande. Canadienne exténuée, mal-rasance roussâtre, frime violacée par la Guinness et les embruns. Dans ce pays, question typique, c'est tout bon : la nature, les gens, les choses. Le pittoresque est omniprésent. Gentillesse et soûlographie garanties.

La tire va en brimbalant. M'est avis que sa dernière révision remonte à l'année ou le Président Kennedy et sa rombière sont venus visiter le berceau familial.

Chaque fois que je me trouve en Irlanderie, je suis gagné par le sortilège mélanco de ce pays. Je me dis que j'aimerais y acheter une baraque de pierres sur une lande où paîtraient des moutons noirs aux cornes pareilles à des fossiles de coquillages antédiluviens.

J'irais pêcher la truite et j'acquerrais un cheval blanc pour parcourir les plaines mauves. Et puis, très vite, je me ferais chier façon rat mort. Bien sûr, je trouverais des petites servantes d'auberge dont je coifferais les poils pubiens avec ma menteuse, mais je m'en lasserais vite. Et les blanquettes de m'man n'auraient pas le même goût. Tu sais que je vire vieux garçon, au fil des âges, ma pomme ? Je sens venir le temps des habitudes, cette gangrène.

Cahin, cahotant, on atteint l'aimable petite ville de Bigbitoune. Le bahut nous arrête devant une mignonne banque peinte en noir et vert foncé laqué, avec des lettres d'or au fronton et des vitres dépolies dans lesquelles sont gravés des bioutifoules motifs floraux, genre ajoncs... Tu vois ? Non ? Tant pis, t'es bouché, t'es bouché, quoi, on va pas se mettre à déféquer des pendules !

— Vous venez avec moi ? me demande Carol Swetzla.

— Naturellement ! réponds-je-t-il.

On entre. Quelques guichets en bois blond. Des lampes à abat-jour opalins. Aux murs des vues photographiques de l'Irlande, presque plus belles que l'Irlande elle-même.

Je laisse oncle Vania s'adresser au guicheton. On lui remet une clé plate. N'ensuite nous descendons un escadrin jusqu'au sous-sol.

Hum ! pas terrible la défense des coffiots. On comprend que nous sommes dans un pays pas encore contaminé par la délinquance. Excepté des rixes de pochards, à la rigueur un meurtre commis par un cocu teigneux, tout baigne dans la bière brune ici.

In petto, comme disent les Ritals, je me fends le pébroque. Je regarde tonton engager la clé de la banque dans l'une des deux serrures, puis la sienne propre dans la seconde (c'est le double qu'il a remis à la moche Mary Wood), et cric crac, la forte lourde s'ouvre avec aisance.

Mister Carol joue admirablement son rôle. Il produit un « Hhhhan ! » de bûcheron et demeure immobile.

Je mate l'intérieur du vaste compartiment.

Vide !

A mon tour de m'immobiliser ; non pas à la manière d'un gonzier stupéfait, mais en mec qui prend ses distances avec l'événement.

Tonton pivote, face à moi.

— Nous avons été volés ! qu'il balbutie.

— Sûrement, renchéris-je. Par contre, ça, vous ne l'aurez pas volé.

Et je lui place un crochet en ciment armé au bouc. Pas du pain au chiqué, façon cinoche. Oh ! que non ! Le vrai taquet de champion du monde, catégorie poids lourds.

Il encaisse dans un claquement de râtelier et de maxillaire éclatés.

S'abat (chez les juifs s'écrit « sabbat »).

— Vieille ganache ! l'injurié-je.

Qui m'aurait eu, sans le concours du hasard, avec sa frite de brave con.

Je remonte, en frictionnant mes phalanges. J'éprouve l'enchantement que procure le travail accompli. Rien ne vaut la paix du cœur. Je me sens calme, plein d'un courage inexplicable.

C'est à partir de maintenant que ma mission va se jouer !

36

FAIS-TOI POMPER LE NEUTRON,
RAYMOND.

Je dis au taxi-driver que mon compagnon est retenu à la *bank* et le prie de me piloter jusqu'au *Justelittle Hôtel*, ce dont il s'acquitte en moins de temps qu'il ne lui en faut pour tirer sa mémé.

Une qui pousse la frime du siècle en me découvrant dans le couloir de son auberge, c'est la rousse Mary Wood. Ses yeux font des sarabandes kif le cadran d'un juke-box. Elle ne pâlit pas, biscotte les taches de son qui lui criblent la vitrine, mais à son attitude, je devine qu'elle en fait « pipi aux culottes », comme on dit dans la belle Helvétie.

Ma pomme, aussi à l'aise qu'un renard dans un poulailler, je la refoule du buste et referme la lourde d'un habile coup de cul ; double exercice qui me laisse les mains libres.

— Ça va, mon bijou ? que j'y demande, sans espérer de réponse.

Vu qu'elle mutisme, j'ajoute :

— Vous savez pourquoi je vous appelle mon bijou ?

Je montre une valdingue en forme de petite malle qu'elle a placée près de la fenêtre :

— A cause de ça, ma chérie !

T'avouerais-je que mon palpitant fait du home-trainer ? Enfin ! Le but est atteint. Du moins, sa première partie.

Sous le regard hébété de la denturée, je vais soulever le couvercle du coffiot de cuir renforcé de métal.

Douze Jésus !

Ali Baba !

Ça rutile, foisonne, scintille car, pour que les joyaux occupent un volume plus réduit, on s'est débarrassé des écrins qui devaient héberger chacune des pièces uniques, c'est pourquoi ils sont pêle-mêle, ce qui fait davantage « coffre au trésor ».

Pour cracher, ça crache, Eustache ! Tu verrais cet éclaboussement ! Des diamants, des rubis, des saphirs et des émeraudes ! Foin des pierres de seconde catégorie, rien que du surchoix, de l'exceptionnel. Y a des tiares, des colliers, des bracelets, des broches, des bagues, des boucles d'oreilles. De quoi « habiller » une impératrice, voire la mère Liz Taylor.

Tu veux que je te dise, Louise ? Ma pomme, ça me laisse de marbre, cette quincaille. J'aime bien avoir une montre en jonc, de chez Cartier de préférence, mais les cailloux j'en ai rien à cirer. Pour moi, un galet du Rhône est une gemme comme les autres.

— C'est bandant pour vous, non ? lui fais-je.

Elle amorce un sourire important étant donné sa denture plantureuse, mais qui est un peu forcé.

Je me dirige jusqu'à son plumzingue dont je sou-
lève le matelas. Tu sais que la télépathie ça existe ?
J'ai lu dans son regard ce qu'elle comptait bien me
celer. Et que je vérifie illico. Une boule de faf à
train plutôt pauvret (les Irlandoches n'ont pas
l'oigne délicat). Je détortille le papelard. Une
bague ! Un chouette solitaire d'au moins quatre-
vingts carats ! Elle ne se mouche pas des genoux,
la mère ! Un diam que la duchesse Monzobe donnerait son berlingue de première communiante
pour pouvoir se le coller au *finger !*

— C'était pour vos vieux jours ? je lui demande.

Elle éclate en tu sais quoi ? Personne ne voit ?
C'est Camille Dutourd qui veut répondre ? Parle,
ma biche ! Comment dis-tu ? Oui ! Elle éclate en
sanglots ? Bravo, tu as gagné !

Moi, je suis sensible à la peine d'autrui, mais ce
genre de larmes ne me donnent même pas envie
de pisser. Je vais au tubophone, décroche. Une voix
patinée aux alcools s'informe de mes désirs.

— Il y a deux messieurs, assis au salon, fais-je-
t-il. L'un est vieux, l'autre est noir. Pouvez-vous
leur dire de monter à la chambre 8 ?

— Yésr ! me bonnit le gazier, ce qui en anglais
d'Angleterre signifie « *Yes, sir* ».

Peu après, et même avant, Pinuche et Jérémie se
trouvent côte à côte devant la porte de la piaule..

— Entrez, les gars ! leur lancé-je familieuse-
ment.

Ils.

La mâchoire à coiffure de horse-guard chiale toujours à gros bouillons. Elle s'est jetée au travers du

lit, à plat bide, jupe troussée jusqu'à sa culotte orangée bordée d'un liseré noir.

— Pas mal ! émet La Pine d'une voix égrillarde
de vieux nœud coulant.

— Mollo ! lui conseillé-je. L'avers ne vaut pas le
revers, tu risques de déchanter.

Le Noirpiot, lui, bien qu'étant un tendeur de
force 5 sur l'échelle de Richepaire, s'est approché
de la malle.

Il a une réflexion qui, prise isolément, ne serait
pas révélatrice de sa vaste intelligence habillée de
culture.

— C'est donc cela, un vrai trésor !

— Entre autres ! acquiescé-je.

Il regarde, puis avance une main incupide sur
cette accumulation de gemmes qui ferait éjaculer
tous les bijoutiers des souks d'Istanbul : il pétrit la
caillasse accumoncelée, la retire.

— J'aime autant nos amulettes ! fait-il, sincère.

Ensuite, comme s'il voulait purifier sa dextre, il
me la tend.

— Bravo, Antoine ! Tu restes le plus grand !

Nous échangeons une ardente poignée de paluche dans laquelle nous mettons tout ce que deux
mecs peuvent ressentir de tendresse et d'estime l'un
pour l'autre.

La Vieillasse, altruiste jusqu'au fond de son calbute, s'est assis sur le bord du lit et caresse haut les
jambes de la perruque-à-dents. Tu ne peux pas
changer le comportement d'un homme de cœur.

— *And now ?* s'enquiert mon pote des savanes.

— Maintenant, fais-je, on va se la jouer en délicatesse, mon vieux Jérémie. Imagine que tu sois à poil et que tu rampes sur des tessons de bouteille pour atteindre l'objectif...

— Puisqu'il le faut ! répond ce stoïque fils d'Afrique.

Je me penche sur la valise au trésor et farfouille dedans afin d'y choisir un bijou précieux, point trop encombrant dans la poche. Je me décide pour un bracelet composé de trois rangs de diamants pesant environ dix carats chacun. Les pierres incolores sont d'une pureté absolue.

Je le tends à mon ami :

— Voilà de quoi engrener le coup, Jéjé. Avec le prix de cette babiole y aurait assez pour démolir l'Elysée et construire un gratte-ciel de trente-huit étages à la place. Remets-le au messager du prince et attends la suite des événements. Le dispositif prévu est en place ?

— *Yes, sir.*

— Tu sais qu'il va falloir naviguer au plus près. Ton équipement est conforme ?

— *No problem, sir.*

— Alors va, et que Dieu te garde !

Je lui donne une tape dans le dos, après l'avoir escorté jusqu'à la porte. D'ordinaire, je bande comme un cerf, mais là, je suis bandé comme un arc, nuance.

Un bruit clapoteur attire mon attention. Crois-moi ou cours te laisser décorer de l'ordre des Arts et Lettres, mais le Pinuche *for ever* est en train de bouffer la chaglatte de la rouquemoute surdentée. Because son asthme, il produit, en comblant Mary Wood, le bruit d'une vieille machine à laver la vaisselle quand elle se déglingue.

La *Red* prend plaisir à cette attention, nonobstant l'âge de son partenaire. Faut dire qu'avec la frite qu'elle se traîne, elle peut pas se permettre de faire la fine chatte.

Pendant qu'il s'occupe du bonheur de cette digne fille d'Albion, je ferme la valdingue aux gemmes et vais la jucher sur l'armoire. Mettons-nous bien d'accord : ce n'est pas une cachette à mes yeux ; simplement, j'obéis une fois encore à mon instinct.

Mais quand tu liras la suite, tu pourras aller clamer aux quatre coins de l'univers que j'ai du génie. Je ne t'intenterai pas de procès !

Juste que je remets en place la chaise m'ayant servi d'escabeau, on gratte à la porte.

Je vais déponer, et devine qui ?

Le père Swetzla avec un taquet bleuissant sur la gogne. Il est saisi en m'apercevant, me diabolise par la pensée. Un gus kif ma poire, il avait pas encore rencontré. Mais suis-je-t-il donc Lucifer ?

— Entrez, cher ami, je vous espérais, fais-je en le bichant par son revers pour qu'il se meuve plus rapidos.

Une fois dans la chambre 8, il n'a d'yeux que pour l'aimable vieillard occupé à brouter son employée. César a ôté le slip décrit plus avant, et cette modeste pièce vestimentaire gît sur le plancher qui, pour être disjoint, n'en est pas moins parfaitement ciré.

C'est le moment où le fade se précisant, le dentier à tignasse commence à émettre des soupirs pour films X.

La Pine, qui sait tout de la minette émérite, n'a pas manqué de ponctuer celle-ci d'un double doigt de cour dans les caroncules de dindon. Cette manœuvre distinguée précipite la délivrance de la chérie. Elle émet, dès lors, des onomatopées dont je ne conçois que le sens général car ma pratique de l'anglais comporte certaines carences.

— Que dit-elle ? demandé-je au garagiste.

Il reste pétrifié, sans voix.

— Vous vous la faisiez, hé ? je lui questionne, son attitude me semblant révélatrice.

Il ne répond pas ; mais qui ne dit rien, chosetruc, pas vrai ?

Sur ces entrefesses, le laideron se shoote à la menteuse césarienne. Ça décarre par une japperie prolongée de spitz nain, qui tourne au glapissement de l'oryctérope pour s'achever par le déchirant bêlement du saïga en rut entre Caspienne et Oural. Un panard d'une grande beauté !

Quand Pinuche réapparaît d'entre les cannes de la perruque dentifiée, tu jurerais un mec en train de se raser. Le garaco, n'écoutant que sa jalousie d'amant trompé lui saute sur le râble avec la nette intention de l'étrangler. Mais Pinassu n'est pas la chiffe molle qu'on pourrait croire. Malgré son arthrite, il lance son genou cagneux dans les couilles de l'antagoniste qui, dare-dare, lâche prise.

En homme chez qui la conscience professionnelle prévaut toujours, j'interviens pour une tranche napolitaine fortement portée à sa glotte, de laquelle il résulte une brutale détérioration du larynx. Bref, il s'évanouit.

— Trouvons de quoi le ligoter et le bâillonner, mon César, décidé-je, nous irons ensuite le coucher dans la baignoire pour qu'il puisse dormir à satiété.

Deux minutes plus tard, le cher tonton Swetzla fait la sourde oreille à la réalité. Saucissonné, muselé, nanti d'un coussin sous sa tête chauvissante, il rêve à son enfance, et peut-être aussi aux joyaux perdus du *cat from* Iran.

Je viens rejoindre La Pine et son Emily Broutée dans la piaule.

— Tu as tes cadennes sur toi, Césario ?

Il sort de sa poche arrière une paire de menottes dont l'usure atteste l'âge.

— Vous permettez, ma jolie chérie ? fais-je à la gosseline aux chailles en forme de râteleuse à foin.

Clic !

Un bracelet à la cheville.

Clac !

L'autre au montant du lit de cuivre.

A présent, il n'est plus que d'attendre.

37

À PERDRE HALEINE, HÉLÈNE.

Deux plombes et quarante broquilles que nous attendons, Césarpion et ma pomme. Devisant et somnolant tour à tour.

Par instants, Pinuchet va déposer un baiser sur le pubis de la secrétaire.

— Je ne sais pas où tu as pris qu'elle était moche, fait-il. Elle a un genre, c'est tout ! Ce qui importe chez une femme, c'est la sensualité qu'elle dégage.

— T'as sûrement raison, *padre*.

Je dois battre ma coulpe : après tout, ne l'ai-je pas convoité également, ce laideron ?

La Vieillasse demande, au gré de ses réflexions pusillanimes :

— Le Roumain...

— Lequel ?

— Le neveu aviateur...

— Eh bien ?...

— Pourquoi a-t-il accepté de collaborer avec nous en te laissant prendre son identité, puisqu'il était riche à milliards ?

— Justement, ma vieille Pinasse, il a eu peur de les perdre. Voyant resurgir le problème, des années plus tard, il a jugé bon d'aider ceux qui ouvraient une enquête à ce propos, pour mieux contrôler les choses.

La Pine hoche la tête.

— Il doit craindre ! estime cet être de grande sagesse.

— Et il a raison, terminé-je. Papa me disait toujours lorsque j'étais chiare : « Il n'y a que les honnêtes gens qui ont la conscience tranquille, alors sois honnête, c'est plus confortable ».

C'est pile à la fin de cette citation paternelle que le biniou fait entendre son grelottement de passage à niveau.

Je ne puis me retenir de lui bondir au colback et de l'arracher de sa fourche.

— Sana ? demande la voix rousse de Mathias.

— Entièrement ! réponds-je.

— Ça y est, c'est en marche.

— Raconte !

— Je dois être bref car le Sombre reste en liaison phonie avec moi et il ne faut pas que...

— Parle, au lieu de débiter des préambules ! l'interromps-je.

— Il vient de recevoir la visite d'un couple d'Arabes. La femme lui a demandé pourquoi ce n'était pas toi qui les accueillais. Il a répondu que tu étais occupé à surveiller le magot.

— *After, sir ?*

— Jérémie leur a remis le bracelet. La fille a poussé un cri d'admiration.

— Normal, il est grandiose. Ensuite ?

— Elle a déclaré qu'elle le prenait avec elle et que le *black* devait attendre en compagnie du type qui l'escortait. Blanc a rouscaillé qu'il n'avait pas de temps à perdre. La femme lui a répondu assez vertement que lorsqu'on traite une transaction de cette importance, il est inconcevable d'être brimé par sa montre et elle est partie.

— Et après ?

— Ton fils s'est mis à filer cette dame. Elle a une voiture, mais lui roule à moto.

J'égosille :

— Toinet ?

— Il est en permission depuis hier et il est venu nous voir au moment où, selon tes instructions, nous mettions notre dispositif au point avant que notre Jet privé nous amène ici, à Bigbitoune.

— Qui a eu l'idée d'embarquer le môme dans cette putain de mission ?

— Pinaud. Mais ton Antoine n'est plus un enfant, Antoine, tu le sais. Dans le cas présent, sa jeunesse est un atout précieux et... (Il lâche vivement :)

— Je coupe, le Négro est en train de parler.

Effectivement, il raccroche.

J'en fais de même et me tourne vers l'Ancêtre.

— César ! aboyé-je, c'est la sénilité qui t'incite à embarquer un gamin dans une histoire à haute tension comme celle-là ?

— Où as-tu pris que c'est un gamin, bêle l'Ineffable : il a son permis de conduire !

Depuis que je sais le môme engagé dans notre croisade, j'ai les flubes. Pour ceux qui ne connaîtraient pas cette expression, je précise que j'ai les copeaux. Bien sûr, Toinet se destine à mon métier, mais il n'est pas encore aguerri. Il ne pèserait pas lourd dans les griffes de Soliman Draggor. Rien qu'à évoquer cette hypothèse, j'en suinte du panais.

La vieille Pinasse qui me connaît entièrement devine mon tourment.

— Il ne faut pas te ronger les sangs.

— Ta gueule, vieux Zob !

Loin de s'offusquer, il bêle son rire de macaque frileux.

— Le petit ne risque rien. Son travail n'est que d'appoint, fait-il valoir.

— Pauvre loque ! Tu le connais, le prince, toi ? Si tu étais enfermé avec quinze boas constrictors et autant de lions affamés, tu serais davantage en sécurité que dans l'espace vital de ce forban !

Je gronde un moment encore puis, me calmant :

— En tout cas, s'il lui arrive la moindre des bricoles, je n'irai pas à ton enterrement !

Le vénérable tasteur de chattes rigole en produisant le bruit d'un pissat de caniche.

— Tu dis ça, Antoine, mais tu ne pourrais pas t'en empêcher !

38

PLANQUE TON ZIZI, HENRI.

Cruelle, l'attente. Je dirais même : c'est pire. Pire
que tout. Tu es replié sur toi-même, à guetter une
manifestation que tu espères ou appréhendes. Tous
les doutes t'assaillent. Un lent désespoir s'épanouit
en toi. Tu constates brusquement que tu n'es rien
ou du moins pas grand-chose puisque tu es soumis
à des volontés extérieures ; à des hasards, souvent ;
parfois des caprices imprévisibles.

Comble de bonheur : Pinaud s'est endormi sur
sa chaise, le nez plongé dans son gilet. Pour lui, la
vie est une cavale qui va l'amble ; la sienne me fait
évoquer les livreurs de glace d'autrefois, dont la
carriole dégoulinait au soleil. Ils se servaient de crochets recourbés pour manœuvrer les « pains »
parallélépipédiques, les chargeaient sur l'épaule
enveloppés de toile de sac, pas s'esquinter la clavi-
cule.

La sonnerie du biniou vient stopper mon évo-
cance.

Mathias, *again*...

— Antoine ?

— Toujours !

— Du neuf ! Deux chignoles sont arrivées, l'une s'est rangée devant l'entrée de l'hôtel, l'autre est restée sur le parking.

— Et Toinet ?

— Je l'aperçois, à bonne distance.

— Alors ?

— La fille vient de rentrer dans l'établissement.

— Qui, dans la seconde tire ?

— Trois hommes. Mais les vitres teintées et la distance m'empêchent de les voir. On frappe à la porte de Jérémie. J'arrête pour pouvoir entendre ce qui va se dire.

— Ecoute, tu...

L'Incendié a déjà coupé.

Vérole ! Tout ça se passe sans moi ! Y a de quoi évider une trompe d'éléphant pour s'en faire un préservatif ! Des instants aussi bâtards, je peux pas. Il a trop de jus, le gars Mézigue ! Pour lui, rester en marge de l'action constitue une intolérable brimade.

Le roucoulement stupide de la communication interrompue me scie les nerfs. Je remets le combiné en place.

Pour couronner la chierie du moment, voilà Pinaudère qui se prend à ronfler. Agaçant ! Un chuintement terminé par un sifflement et suivi d'un râle rauque. Qu'un jour, plus tard, il se décrochera le balancier de l'horloge, ce nœud coulant, et s'endormira pour lurette.

Au plus fort de ma morfondrerie, voilà à nouveau le biniou qui gazouille.

— *For you, sir !* me fait le vieux crabuche d'en bas qui doit commencer à trouver bizarre autant qu'étrange cette succession d'appels.

Toujours le Rouillé :

— Je t'annonce de la visite, Antoine. La fille vient de partir avec Blanche-Neige et l'Arabe qui se trouvait en sa compagnie. Ils vont chez toi.

— Il faut que tu...

— C'est fait, tu penses bien ! Attends ! La deuxième bagnole qui était restée sur le parking démarre à son tour : je crois que tu vas avoir plein de monde d'ici pas longtemps.

— Le môme ?

— Il suit.

— Ce petit crétin va se faire repérer !

— N'aie crainte, il demeure à bonne distance. Que dois-je faire ?

— Rester en place jusqu'à ce que nous soyons certains de leur destination.

— Mais on l'est, bonté divine ! La fille a demandé au Négro de la conduire auprès de toi !

— Attends qu'ils soient arrivés. Lorsque tu entendras ma voix, alors là, oui, viens à la rescousse.

Je coupe pour réveiller Baderne-Baderne.

Ses yeux chassieux, aux sécrétions gerbantes, se posent sur moi.

— J'ai failli m'endormir, dit-il.

— Tu es chargé, ma Guenille ?

Il sort de sa vague le riboustin de gros calibre qui la déformait.

— Dans le sérieux ! commente-t-il.

— Ne garde pas cette arquebuse dans ta fouille : elle est aussi visible que ton gâtisme précoce.

Tiens ! Planque-la sous cette cloche de verre qui abrite une statue de saint Patrick.

Il obtempère.

Moi, l'imminence de l'action me survolte. Une paix dorée s'étale dans ma belle âme. Je suis aiguisé comme une navaja. C'est un moment de qualité. Ta vie est en jeu, tu l'as jetée sur le tapis vert et la roulette se met à tourner en crachotant. Si tu sors le bon numéro, bravo ! Sinon, tu l'as dans le prosibe ! Kif quand tu caresses le joufflu d'une pécore dans le métro. Il en découle soit une tarte avec invectives, soit une troussée avec turlute. Pile ou face ! Poil ou fesse ! La loterie. Tu tires une baffe ou un coup. Faites vos jeux !

Et les deux chignoles annoncées se radinent et stoppent devant l'hôtel. Personne ne bronche dans la grosse aux vitres teintées, mais le Négus descend de l'autre, suivi d'un garde du corps que j'ai dû apercevoir dans le palais andalou : un costaud à la frime cigognée par un accident ou une rouste de pro. Paraît une troisième personne qui n'est autre, mais je parie que tu t'en doutais, que la sublime Shéhérazade, *very nice* (Alpes-Maritimes) dans un tailleur tilleul. Depuis que je ne l'ai vue, elle a raccourci ses cheveux, ce qui lui donne l'air d'une garçonne bistre.

Le trio pénètre dans l'hostellerie.

De mes tréfonds monte l'encens d'une fervente prière. « Vous, là-haut, Faites que tout se déroule aux petits oignons, nous nous arrangerons après pour ce qui est de Vos honoraires célestes ! »

Toc toc !

— Entrez !

C'est le Noirpiot qui pénètre le premier, suivi de Shéhérazade, suivie du gorille au portrait peint par Picasso.

Ce dernier déboutonne son veston pour nous montrer la crosse d'un parabellum enfoncé dans son bénoche.

— Ma chérie ! glapis-je-t-il en me précipitant sur la déesse.

Je veux la saisir, mais elle a une esquive de toréador.

— Allons bon ! protesté-je, avec vous, on ne sait jamais sur quel testicule baiser !

Au lieu de répondre, elle examine la chambre, regarde longuement la mâchoire à crinière rousse, puis passe dans la salle de bains où elle découvre le concessionnaire ligoté.

— Qui sont ces gens ? demande-t-elle sèchement en revenant.

— L'homme détenait les joyaux, la fille est sa complice, résumé-je en grande sobriété.

— Où est le trésor Izmir ?

— Pareil au soleil, il rayonne au-dessus de nos têtes, douce amie !

Il ne lui faut pas longtemps pour découvrir la malle de cuir sur le haut de l'armoire. Un sourire apaisé détend son visage jusqu'alors crispé. Puis elle lance un ordre à son copain défiguré et le gonzier met aussi sec les adjas.

La môme se tourne face à moi, un léger sourire aux lèvres.

— Qui est ce Noir ? questionne-t-elle en montrant Jérémie.

— Un employé de ma compagnie d'avions-taxis dont j'ai eu besoin.

— Il est discret ?

— La tombe du Soldat Inconnu ne l'est pas davantage.

La musique d'une radio retentit dans l'hôtel. Un truc vieillasson mais que j'adore : *Rose de Picardie*, interprété par Yves Montand. Il avait une belle voix, ce gus, des accents qui vous chatouillaient l'âme. Il m'est d'autant plus agréable d'écouter cette chanson en cet instant qu'elle sert de signal à mes gauchos pour m'avertir qu'ils sont opérationnels.

On va pouvoir « y aller ».

Les marches de bois de l'auberge craquent comme les jointures du vieux Pinuchet. Pourvu que... Je le souhaite si ardemment !

La porte qui était restée infermée s'ouvre brutalement. Le compagnon de Shéhérazade à la frite cabossée s'efface et, ô gloire immortelle de mes aïeux, ô grâce divine, ô saint Pierre et Saint-Miquelon, ô sainte Marinella, qui se présente ? Tu veux-tu-t-il que je te le disât ? A quoive bon : t'as déjà deviné.

Le prince Soliman, voui, môssieur !

Vêtu d'un pantalon pied-de-coq et d'un blouson de daim beige. Le visage partiellement dissimulé par de fortes lunettes de soleil, coiffé d'une casquette élégante, assortie à son grimpant. Son parfum pénétrant le précède : musc et rose fanée (une création de Ballamou, le fameux parfumeur-conseil).

Guignolet, mon ami de toujours, se déchaîne

entre mes cerceaux ! Comme ma salive qui a lubri-
fié tant de clitoris arides devient cotonneuse ! Lui !
Enfin ! Sorti de son univers malfaisant ! Lui, à
merci, ou presque, malgré sa garde prétorienne.

Il s'avance, suivi de ses archers. Deux d'iceux
dégainent des pistolets-mitrailleurs de leurs frin-
gues, bien établir leur incontestable suprématie.

— Salut, mon prince ! lancé-je joyeusement.

Au lieu de répondre à mon vibrant accueil, il dit,
montrant Pinaud :

— Qui est-ce ?

— Mon oncle. J'ai eu besoin d'aide, ai-je déjà dit
à miss Shéhérazade.

— Et le trésor ?

Je lui désigne le haut de l'armoire.

— Il vous attend !

Mon lutin intérieur qui se manifeste dans les
grandes occases, me souffle la conduite à tenir. Et
tu peux te fier à lui autant qu'à moi-même, Eugène.

Illico, je tire une chaise devant l'armoire, grimpe
dessus, avance mes mains sur le coffre merveilleux.
En loucedé, j'actionne les deux fermoirs.

— Aidez-moi ! grommellé-je ensuite en l'arra-
chant du meuble.

Ce qui succède alors est beau comme la baie de
San Francisco ou la chaglatte de Madonna. En
tirant la malle d'abondance, je la fais basculer ; le
couvercle s'ouvre et la cargaison de joyaux se met
à pleuvoir dans la pièce.

Les péones de Sa Majesté se précipitent, mais le
monarque se fout à bieurler :

— Stop ! Que personne ne touche à ça !

Ses aides se figent.

Pour ma part, je dépose la valoche vide sur le tapis, après avoir écarté du pied les fabuleuses pierreries.

— Je suis navré ! fais-je.

Mais Soliman Draggor ne m'entend pas. Hypnotisé, il plonge les doigts avec délices dans ce monçal (un monçal, des monceaux) de pierres précieuses.

— A moi ! balbutie-t-il. Tout à moi ! Enfin ! Enfin !

Pendant qu'il chope son *foot,* je prépare dans ma vague le petit dispositif qui s'y trouve en attente. Un truc dont on se sert de plus en plus dans les services secrets et même chez les truands de grande lignée. Imagine une minuscule capsule de plastique comportant une aiguille à injection. Cette dernière est protégée par un capuchon vissable et moi, grand zozo, j'ai oublié de le dégoupiller avant usage. Si bien que je m'escrime (et châtiment) d'une seule paluche. N'en plus, le bouchon vissé résiste. La chiasse française, quoi ! Faut toujours qu'on ait un côté Bibi Fricotin dans nos entreprises délicates. Du génie à revendre, mais on se prend les pinceaux dans la frange du tapis.

— Sortez la main de votre poche ! me jette soudain Shéhérazade.

La garce ! Elle a pigé. L'instinct femelle, ça s'appelle.

Mais je puise dans les ressources géniales du Français con.

— Quoi ? fais-je en sortant ma paluche.

Seulement, dedans, y a le bistougnac. Elle, comprends-le, pensait à un truc du genre pistolet, grenade, machintruc. Donc je la rassure.

L'autre prince de ses burnes qui se gave de joyaux. Ma tiare est verte ! Mon rubis sur l'ongle ! Ma couronne pour un empire ! Harpagon. Il veut tout ! Ça ! Puis ça ! Et ça encore ! Que ça lui dégouline des mains. Il s'en foutrait dans l'oigne (beau centre d'hébergement chez un prend-du-fion) s'il était nu. Il a mille doigts ! S'en carre dans les fouilles ! Tout en poussant des cris de gazier chopant son fade.

Beau document sur l'humain, cette saloperie racaillante. J'en pleurerais si j'avais un mouchoir pour m'étancher ; hélas, mon tire-gomme est dans ma vague. Et moi qui décapsule enfin ma seringue et la lui plante dans le gras du bras !

La mère Shéhérazade gardait tout de même sa vigilance car elle crie aux archers abasourdis de me neutraliser. Ils réagissent. L'un m'ajuste de sa pétoire. Ça fait boum ! boum ! C'est Pinuche qui a tiré, ayant repris son riboustin à saint Patrick. Le gusman écroule. Qu'alors la porte s'ouvre à la volée et que voilà mon Toinet qui surgit avec l'inspecteur Calumet, ainsi surnommé parce qu'il s'appelle en réalité Bouffarde.

D'un coup, la chambre est comble. Confusion héroïque. Les deux autres sbires du prince sont bousculés, happés, digérés. Grappe humaine : Toinet, Blanc, Bouffarde et puis encore Mathias qui radine en couverture. Tout à la matraque, arme silencieuse s'il en est. Tcholc ! Biiing ! Paf ! Pouf ! Les trois gardes du corps de Sa Majesté empétardeuse gisent sur le parquet. Pas fraîchouillards du tout ! Très endommagés, même ! Surtout celui que le père La Pine a composté au 9 millimètres.

— Foutez-moi ces connards éclopés dans la salle de bains ! fais-je.

Ils obtempèrent rapidos prompto. Qu'à peine le ménage est fait, on toque à la lourde : le vieux crabe de la réception qui se pointe aux nouvelles. Il prétend avoir entendu du bruit. On le rassure avec des grands rires. On lui explique qu'on est des amis en vacances irlandaises qui viennent de se retrouver et qu'on sable le champagne ; pardon pour le bruit, *my dear,* vous savez comme sont les Latins ? Un bifton de dix livres achève de le rassurer. Il repart en nous recommandant d'en profiter.

Il a un rubis de douze carats incrusté dans le crêpe de sa semelle. Drôle de merde de chien ! Il l'emporte sans s'en apercevoir.

39

LA VIE EST FOLLE, CAROLE.

Un jour, beaucoup plus tard si toutefois le Seigneur me laisse du temps, quand je repenserai à cette affaire du prince, son souvenir meublera mes insomnies. Elle me fera « de l'abonde », ce qui signifie « du profit ». J'en passerai les péripéties dans ma tronche, soit en accéléré, soit au contraire au ralenti. Elle restera comme l'un des coups les plus gonflés que j'aurai accompli.

Ce tyran sadique, fallait l'extirper de son luxueux terrier andalou pour pouvoir le manœuvrer. Si on avait mis le paquet sur place, on risquait de tout faire foirer. Seulement, ce gusman est une hyène qui ne sort pas facilement de sa tanière. Or, pour « le mettre à plat », il convenait avant tout de l'arracher à son environnement, se le payer en terrain neutre ; le conditionner des jours durant pour l'extraire de sa personnalité. Traitement de choc ! Tu piges ? Le jeu en valait la chandelle.

Ce que nous avons accompli, somme toute, constitue une violation de la personnalité. On se

l'est travaillé mimi, comme des pépiniéristes qui
tentent des greffes viceloques pour niquer les espèces, les faire devenir autres.

Mais je te reprends les choses depuis l'hôtel *Justelittle*, près de Bigbitoune.

Ce dont on était conscients, c'est qu'il fallait agir
vite. Pour cela, nous devions disposer d'une marge
de temps suffisante. Il convenait donc de placarder
l'oncle Swetzla, sa secrétaire denteuse, le garde du
corps blessé et ses deux copains contusionnés. Le
plan d'action a été rapidement dressé. La Pine s'est
proposé pour surveiller ce beau monde pendant
qu'on se taillerait d'Irlande, de manière à ce que
rien ne transpire dans l'hôtel avant que nous nous
trouvions hors d'atteinte.

On a rassemblé les joyaux impériaux, Mathias a
médicamenté Shéhérazade et la Rouquine. Après
quoi on s'est cassés proprement et en bon ordre en
emmenant Soliman Draggor et sa collaboratrice.

Puis on a récupéré le zinc ayant amené mes potes.
J'étais contrarié à cause du rubis coincé dans la
semelle du concierge ; ce vieux miraud serait chiche
de le prendre pour un bout de verre et de le balancer à la poubelle. Mais quoi, on ne fait pas d'ome-
lettes sans casser des œufs, comme disait mémé.

Je te l'ai déjà dit : sur notre putain de planète,
rien ne se perd, rien ne se crée, seulement tout se
transforme. Nous, nous étions autre chose avant de
naître et nous deviendrons autre chose après notre
mort. Faut se soumettre de bonne grâce. La rébel-
lion, c'est provisoirement dans notre tête, mais
peut-être qu'un jour, après de plus amples infor-
mations... Je m'attends à tout, tu sais.

Quelques heures plus tard, nous étions en Chiraquie. Mon premier soin a été de lancer un coup de turlu à La Pine. Il nous a assuré que tout baignait. Comme le blessé râlait, il avait branché la téloche pour couvrir ses plaintes.

Je l'ai complimenté et lui ai dit de mettre les adjas à son tour. *Nach* Dublin. De là il prendrait un vol pour ailleurs, n'importe où, mais le plus rapidement possible.

— Ne t'occupe pas de moi, petit, j'en ai vu d'autres.

C'est ainsi qu'on s'est pris congé.

Les Services spéciaux avaient mis une villa tranquille à notre dispose, dans la région du Vésinet. C'est dans cette coquette cité qu'on a embarqué Draggor et Shéhérazade. Nous y avons installé notre bivouac, Jérémie, Mathias et ton serviteur (mal payé). Des « messieurs tranquilles » assuraient notre protection, bien que ce fût une précaution superfluse. Mathias s'occupait du traitement de Sa Majesté sodomite. Il avait mijoté une thérapie de haut niveau.

Elle produisait son effet. Soliman devenait enjoué, détendu. Je pouvais lui bonnir n'importe quoi, ça le faisait gondoler. Ainsi, un jour, je lui ai déclaré : « Avec ta gueule, quand tu parles, on dirait que tu pètes ! » Eh bien il a rigolé comme un bosco, alors qu'en d'autres temps il m'aurait fait bouffer les testicules par un rat malade !

Pour la fille, c'était une autre thérapie, moins « pointue », assurait Xavier. Un machin à base de cantharide qui l'excitait comme tu peux pas savoir.

Elle essayait à tout bout de champ de nous pomper le muscle. Excédé, le Noirpiot l'a tirée sur la table de la cuisine et, un jour que Bérurier nous a rendu visite, il l'a sodomisée, fait unique dans les annales anales, vu le mortier à aïoli du monsieur.

Le temps passait calmos. On attendait la fin « de la cure ». Sa Majesté bouffait beaucoup et repoussait les élans de sa secrétaire. Il était devenu plus eunuque que pédé.

Quatre jours plus tard, c'est Pinuche qui nous a rendu visite. Pas seul : la Mary Wood l'accompagnait. Il en était tombé fou amoureux et se la gardait pour soi. Je l'ai assuré que je n'y voyais pas d'inconvénient. Elle n'avait été qu'une comparse dans l'aventure et on ne peut pas toujours punir les lampistes. Il faut bien que les choses changent, non ?

La donzelle nous assura qu'elle était folle de César, de Paris, des couturiers où il la traînait, de la maison Carita, du restaurant *Lasserre,* de son élégant appartement de la rue de Chazelles, du cabriolet BMW blanc qu'il venait de lui offrir, ainsi que du joli godemiché en chlorure de vinyle, avec testicules d'argent formant poignée, qu'elle manœuvrait dextérement pendant les séances de broutage du cher homme.

Nous fûmes ravis de voir s'épanouir cet amour franco-britannique. Comme sont donc mystérieux les desseins de la Providence !

Enfin, après onze jours de cette vie-là (ou de cette villa), Mathias nous déclara que l'expérience, selon lui, pouvait se dérouler.

Je n'attendais que son feu vert.

J'avais aménagé une sorte de studio de cinéma dans une chambre inoccupée du premier étage. Un inspecteur qui avait fait l'I.D.H.E.C. en pensant devenir Henri Verneuil, mais qui avait dû déchanter, servit de cameraman et de chef opérateur. C'est lui qui régla les quatre projos mis à notre disposition, procéda aux essais et exécuta le tournage, tandis que son beauf, avec qui il réalisait de petits films d'amateur, s'occupait du son (d'ailleurs ce type était un âne).

Nous nous disposâmes de la manière suivante : l'objectif fut placé en bout de table, le prince et moi face à face. Ainsi l'opérateur pouvait-il par un simple mouvement d'appareil nous filmer alternativement pour les « questions-réponses ».

Hors de la zone lumineuse, Jérémie Blanc et Xavier Mathias constituaient une sorte de cour allégée. La pénombre dans laquelle il baignait, dérobait le visage du Noirpiot qui n'existait plus que par ses lotos.

Un silence intimidant nous unissait.

J'eus du mal à le rompre.

— Moteur ! demanda le cadreur.

— Ça tourne ! répondit le perchman.

Je me raclis la gargante et demandas à mon vis-à-vis :

— Pouvez-vous décliner votre identité ?

Il le put.

LE GRAND SECRET
DE SOLIMAN DRAGGOR.

— Etes-vous résolu à me confier toute la vérité, Monseigneur ?

— Je le suis.

— Pourquoi avez-vous lutté aussi longtemps et avec tant de pugnacité pour mettre la main sur le trésor Izmir ?

— Parce qu'il possède une valeur inestimable.

— Etaient-ce les pierres en elles-mêmes qui vous intéressaient ou bien la somme colossale qu'elles représentent ?

— La seconde hypothèse est la bonne.

— N'êtes-vous point très riche ?

— Dans l'absolu, je le suis ; mais tout est relatif et mes biens personnels ne pouvaient suffire à assumer le vaste plan que j'ai conçu.

— Quel est-il ?

— Doter ma principauté de la bombe atomique.

Là se place un long blanc exprimant l'émotion de celui qui questionne.

Puis, la voix altérée de San-Antonio reprend :

— Dans quel but ? Votre petit pays n'est pas en danger.

— Non, mais à cause de moi, d'autres l'auraient été.

— Non, mais à cause de moi, d'autres l'auraient été.

— C'est cynique.

— J'ai une certaine conception des choses.

— Vous vous serviriez d'une telle arme ?

— Sans hésiter. Lorsque je la posséderai, ma puissance sera telle que je pourrai presque tout exiger de ceux qui ne l'auront pas.

— Où en est ce projet ?

— C'est plus qu'un projet : une réalisation.

— Terminée ?

— Presque, mon cher. L'infrastructure est faite ; j'y ai consacré une grande partie de ma fortune. Seulement mon pays n'a pas l'or noir à sa disposition pour remplir ses caisses, voilà pourquoi j'ai dû trouver un autre moyen de financement.

— D'où cette recherche opiniâtre du trésor Izmir ?

— Vous avez tout compris.

— Quand votre installation atomique sera-t-elle opérationnelle ?

— Lorsque je serai en mesure de payer le plutonium qui me manque. Néanmoins, je possède déjà des « échantillons expérimentaux » non négligeables qui causeraient pas mal de dégâts à qui les subirait.

— Personne jusque-là n'a percé à jour votre dessein ?

— Sans doute, mais peu m'importe car il est

impossible de déterminer l'endroit où est situé mon centre de recherches.

— Où se trouve-t-il ?

Question capitale, question culminante. Le vis-à-vis de San-Antonio est-il suffisamment « traité » pour abdiquer et livrer le cœur du secret ?

Sans hésiter, le prince déclare, gonflé d'une imbécile satisfaction :

— J'ai fait bâtir, dans l'oasis de Chock-Koridor, une léproserie, à la suite d'une résurgence de la lèpre dans nos régions. Elle a donné lieu à une inauguration dont les médias du monde entier ont rendu compte et qui m'a valu un nombre impressionnant de décorations étrangères. En vérité, elle était « gonflée » et se limite à quelques lits, inoccupés la plupart du temps. Une fois cette célébration passée, des gens qualifiés se sont mis au travail et y ont bâti mon centre de recherches nucléaires. Génial, non ?

— Tout à fait !

— Mais qu'avez-vous à transpirer de la sorte, monsieur Tiarko ?

— C'est la joie, Majesté de mes deux ! L'homme consciencieux est toujours radieux quand il a pu mener sa tâche à bien.

CONCLUSION (1)

Félicie arrive de sa cuisine avec un plat embaumant.

Elle annonce :

— Je t'ai préparé des quenelles de brochet sauce Nantua, ce soir, mon grand. C'est ton ami Bocuse qui nous les a envoyées dans un emballage frigorifique.

— Formide ! dis-je, mais je te demande un instant, m'man, j'écoute quelque chose à la téloche.

En effet, y a mon pote Bruno qui explique, sans trop se marrer, qu'une léproserie a été entièrement détruite par une explosion due à des bouteilles de gaz, dans la principauté de Razmamoul.

En apprenant la chose, le prince Soliman Draggor s'est suicidé dans sa luxueuse propriété andalouse de Sotogrande. C'était un grand bienfaiteur de l'humanité.

FIN

(1) Ce titre doit-être lu dans un miroir.

Lu dans la presse :

Un riche donateur étranger
vient d'offrir au gouvernement français
une importante collection de bijoux
dont l'estimation ne nous a pas été communiquée.